P9-ELX-924

Aprender
Excel 2013
con 100 ejercicios prácticos

Aprender

Excel 2013

con 100 ejercicios prácticos

marcombo
ediciones técnicas

Aprender Excel 2013 con 100 ejercicios prácticos

© 2014 MEDIAactive

Primera edición, 2014

© 2014 MARCOMBO, S.A.
    Gran Via de les Corts Catalanes, 594
    08007 Barcelona
    www.marcombo.com

En coedición con:

© 2014 ALFAOMEGA GRUPO EDITOR, S.A. de C.V.
    C/ Pitágoras 1139 - Colonia del Valle
    03100 - México D.F. (México)
    www.alfaomega.com.mx

Diseño de la cubierta: NDENU DISSENY GRÀFIC

ISBN por Marcombo: 978-84-267-2074-0

ISBN por Alfaomega: 978-607-707-733-6

D.L.: B-20397-2013
Printed in Spain

Presentación

APRENDER EXCEL 2013 CON 100 EJERCICIOS PRÁCTICOS

100 ejercicios prácticos resueltos que conforman un recorrido por las principales funciones del programa. Si bien es imposible recoger en las páginas de este libro todas las prestaciones de Excel 2013, hemos escogido las más interesantes y utilizadas. Una vez realizados los 100 ejercicios que componen este manual, el lector será capaz de manejar con soltura el programa y crear y editar documentos de distintos tipos tanto en el ámbito profesional como en el particular.

LA FORMA DE APRENDER

Nuestra experiencia en el ámbito de la enseñanza nos ha llevado a diseñar este tipo de manual, en el que cada una de las funciones se ejercita mediante la realización de un ejercicio práctico. Dicho ejercicio se halla explicado paso a paso y pulsación a pulsación, a fin de no dejar ninguna duda en su proceso de ejecución. Además, lo hemos ilustrado con imágenes descriptivas de los pasos más importantes o de los resultados que deberían obtenerse y con recuadros IMPORTANTE que ofrecen información complementaria sobre los temas tratados en los ejercicios.

Gracias a este sistema se garantiza que una vez realizados los 100 ejercicios que componen el manual, el usuario será capaz de desenvolverse cómodamente con las herramientas de Excel 2013 y sacar el máximo partido de sus múltiples prestaciones.

LOS ARCHIVOS NECESARIOS

En el caso de que desee utilizar los archivos de ejemplo de este libro puede descargarlos desde la zona de descargas de la página de Marcombo (www.marcombo.com) y desde la página específica de este libro.

A QUIÉN VA DIRIGIDO EL MANUAL

Si se inicia usted en la práctica y el trabajo con Excel 2013, encontrará en estas páginas un completo recorrido por sus principales funciones. Pero si es usted un experto en el programa, le resultará también muy útil para consultar determinados aspectos más avanzados o repasar funciones específicas que podrá localizar en el índice.

Cada ejercicio está tratado de forma independiente, por lo que no es necesario que los realice por orden (aunque así se lo recomendamos, puesto que hemos intentado agrupar aquellos ejercicios con temática común). De este modo, si necesita realizar una consulta puntual, podrá dirigirse al ejercicio en el que se trata el tema y llevarlo a cabo sobre su propio documento de Excel.

EXCEL 2013

Microsoft Excel es uno de los programas de edición de hojas de cálculo más potentes del mercado y al mismo tiempo de más fácil manejo. Es conveniente destacar esta segunda característica, puesto que de nada serviría al gran público un programa capaz de realizar los más complicados cálculos si su aprendizaje fuera largo y costoso.

Una hoja de cálculo es una aplicación concebida para efectuar todo tipo de cálculos numéricos de forma automática, siguiendo las directrices que establece el usuario.

Con Excel podrá construir muchos tipos de hojas de cálculo e, incluso, bases de datos como agendas o listas telefónicas en las que podrá almacenar por ejemplo los nombres de sus clientes, la dirección de sus empresas, sus teléfonos de contacto, etc. La interfaz del nuevo Excel 2013, además de contar con un agradable diseño que se ve mejorado en esta versión , sitúa a la vista las funciones más necesarias y cuenta con un gran número de asistentes que facilitan la labor del usuario a lo hora de representar sus datos en tablas dinámicas o en gráficos de aspecto profesional.

Cómo funcionan los libros "Aprender..."

El título de cada ejercicio expresa sin lugar a dudas en qué consiste éste. De esta forma, si le interesa, puede acceder directamente a la acción que desea aprender o refrescar.

Los ejercicios se han escrito sistemáticamente paso a paso, para que nunca se pierda durante su realización.

El número a la derecha de la página le indica claramente en qué ejercicio se encuentra en todo momento.

Los recuadros Importante incluyen acciones que deben hacerse para asegurarse de que realiza el ejercicio correctamente y también contienen información que es interesante que aprenda porque le facilitarán su trabajo con el programa.

En la parte inferior de todas las páginas puede seguir el ejercicio de forma gráfica y paso a paso. Los números de los pies de foto le remiten a entradas en el cuerpo de texto.

Índice

Índice

El nuevo inicio rápido de Excel 2013

EXCEL ES UNA DE LAS APLICACIONES de hoja de cálculo más utilizada, conocida y extendida entre los usuarios de la ofimática. Permite organizar grandes cantidades de datos, realizar el seguimiento de diferentes tipos de información y ejecutar operaciones matemáticas, desde las más sencillas, como sumas, restas y divisiones, hasta las más complicadas, como funciones trigonométricas. En este primer ejercicio, accederá a Excel y tendrá un primer contacto con la ventana de inicio rápido de la aplicación.

1. Desplácese por la pantalla **Inicio** de Windows 8 hasta localizar el mosaico de la aplicación **Excel 2013** y haga clic sobre él. (Si trabaja con una versión anterior del sistema operativo, podrá localizar el acceso a Excel en la opción **Todos los programas** del tradicional menú **Inicio**).

2. Si ha trabajado con versiones anteriores del programa, llamará su atención su nuevo aspecto, más limpio y diseñado para ayudarle a obtener resultados profesionales con el mínimo esfuerzo. Al entrar en Excel 2013 aparece en primer lugar la ventana de inicio rápido, desde la que puede acceder rápidamente a los libros con los que haya trabajado recientemente (que se irán añadiendo al panel **Recientes** de la izquierda), abrir otros libros existentes o crear nuevos libros en blanco o libros a partir de las múltiples plantillas que el programa pone a disposición del usuario. Pulse en la parte inferior de la **Barra de desplazamiento vertical** de la lista de plantillas para ver algunas de las disponibles.

En Windows 8 se irán añadiendo a la pantalla **Inicio** los mosaicos de las aplicaciones que vaya instalando en su equipo. Si no dispone de dicho mosaico, busque la aplicación usando la nueva función **Buscar** del sistema operativo.

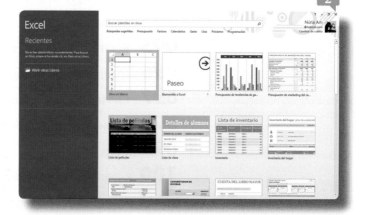

3. Como ve, Excel 2013 proporciona un gran número de plantillas de diferentes categorías que le facilitarán el trabajo cuando tenga que crear sus propios libros. Pulse, por ejemplo, sobre la categoría **Factura** del apartado **Búsquedas sugeridas**. `3`

4. El programa ejecuta automáticamente una búsqueda en línea y muestra las plantillas correspondientes a esa categoría en la ventana **Nuevo**. Observe que en el panel **Categoría** se listan todas las existentes con el número de plantillas que proporciona Excel. También puede realizar búsquedas personalizadas introduciendo un término clave en el campo de búsqueda. Escriba en dicho campo el término **Pedidos**, por ejemplo, y pulse el icono de lupa para proceder con el rastreo. `4`

5. Veamos el aspecto de alguna de estas plantillas. Haga clic sobre el segundo resultado, **Pedido Telefónico**. `5`

6. Se abre una ventana de vista previa en la que podemos ver las principales características de la plantilla y desde la que podemos proceder a crear nuestro nuevo archivo basado en ella. Pulse el botón **Crear**. `6`

7. Una vez abierta la plantilla, se tratará de que usted la modifique según sus necesidades y guarde el archivo con un nuevo nombre. Para cerrar la plantilla, pulse en la pestaña **Archivo** y elija la opción **Cerrar** del menú que aparece.

8. Indique por último que no desea almacenar los cambios efectuados en la plantilla pulsando el botón **No Guardar** del cuadro de advertencia.

IMPORTANTE

También puede crear nuevos documentos basados en plantillas directamente sin pasar por la vista previa usando la opción **Crear** del menú contextual de las mismas.

`5`

Pedido Telefónico

`3`

Buscar plantillas en línea

Búsquedas sugeridas: Presupuesto _Factura_ Calendarios

Las **plantillas** le permitirán centrarse únicamente en sus datos y olvidarse del diseño y la configuración del documento.

`4`

Nuevo

🏠 Inicio   Pedidos

En la ventana de vista previa de las plantillas puede ver su **tamaño de descarga** y la **valoración** de los usuarios.

`6`

Pedido Telefónico

Proporcionado por: Microsoft Corporation

Tamaño de descarga: 15 KB

Valoración: ★ ★ ★ ★ ☆ (23 votos)

Crear

La Barra de herramientas de acceso rápido

LA BARRA DE HERRAMIENTAS DE ACCESO RÁPIDO se encuentra a la izquierda de la Barra de título y contiene los iconos de tres de las acciones más comunes que se llevan a cabo con los documentos: Guardar, Deshacer y Rehacer. Se trata de una barra personalizable a la que es posible añadir nuevos iconos desde la categoría de personalización del cuadro Opciones de Excel o bien utilizando la opción adecuada del menú contextual de las herramientas.

1. En este ejercicio veremos cómo añadir iconos a la **Barra de herramientas de acceso rápido** de dos modos diferentes. Haga clic sobre el botón de punta de flecha de esta barra y pulse sobre la opción **Más comandos**. 🔲

2. Se abre el cuadro **Opciones de Excel** mostrando activa la categoría **Barra de herramientas de acceso rápido**, donde aparece un listado de las diferentes categorías en que se agrupan las herramientas. Seleccione, por ejemplo, la herramienta **Abrir** y pulse el botón **Agregar**. 🔲

3. Si aceptáramos la operación, el icono de la herramienta **Abrir** aparecería ya en la barra. Observe que la personalización de la misma puede afectar a todos los documentos que abramos con Excel, o bien sólo al que se encuentra abierto en estos

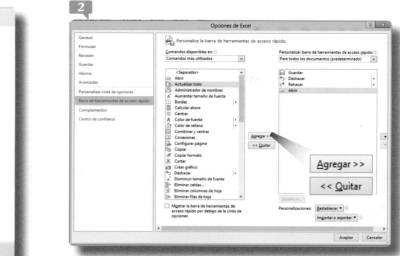

En el menú **Comandos disponibles en** se muestran por defecto los comandos más utilizados.

002

momentos. Puede quitar los iconos que no desee seleccionándolos en el cuadro de la derecha y pulsando el botón **Quitar**. Igualmente, con las flechas que se encuentran a la derecha del cuadro de iconos es posible modificar el orden en que éstos se muestran en la barra. Pulse el botón **Restablecer**.

4. Se mostrarán dos opciones de restablecimiento **3** y seleccionando la primera se abrirá el cuadro **Restablecer personalizaciones**. Pulse el botón **Sí** **4** para devolver el aspecto original a la **Barra de herramientas de acceso rápido** y cierre el cuadro **Opciones de Excel** pulsando el botón **Cancelar**.

5. Existe una manera quizás más rápida de añadir iconos a esta barra. Imaginemos, por ejemplo, que queremos agregar el grupo de herramientas de celdas. En la pestaña **Inicio** de la **Cinta de opciones**, haga clic con el botón derecho del ratón sobre el título del grupo de herramientas **Celdas** y, en el menú contextual que aparece, pulse sobre la opción **Agregar a la barra de herramientas de acceso rápido**. **5**

6. Como ve, no sólo es posible agregar iconos, sino también grupos de herramientas. Haga clic sobre el icono **Celdas** añadido a la **Barra de herramientas de acceso rápido** **6** y, tras comprobar que incluye varias herramientas de trabajo con celdas, vuelva a pulsar sobre él para ocultarlas.

7. Para eliminar este grupo de herramientas de la **Barra de herramientas de acceso rápido**, pulse sobre él con el botón derecho del ratón y elija la opción **Eliminar de la Barra de herramientas de acceso rápido**.

IMPORTANTE

La herramienta **Modo mouse/toque** es una novedad de Excel 2013 que permite cambiar del modo mouse habitual al modo de toque, útil para dispositivos móviles, ya que amplía los botones de comando en la Cinta de opciones para facilitar su uso en pantallas táctiles.

> Modo mouse/toque

La opción **Agregar a la barra de herramientas de acceso rápido** añade a dicha barra el icono del grupo de herramientas indicado. Todas las herramientas de ese grupo aparecen al pulsar sobre su icono.

3

Restablecer ▾ ⓘ

Restablecer únicamente la barra de herramientas de acceso rápido

Restablecer todas las personalizaciones

4

Restablecer personalizaciones   ✕

⚠ ¿Realmente desea restaurar la barra de acceso rápido compartida para todos los documentos y el contenido predeterminado?

Sí   No

5

Agregar a la barra de herramientas de acceso rápido

Personalizar barra de herramientas de acceso rápido...

Mostrar la barra de herramientas de acceso rápido por debajo de la cinta de opciones

Personalizar la cinta de opciones...

ARCHIVO   INICIO

Insertar Eliminar Formato

N K

Celdas

Practicar con la Cinta de opciones

LA CINTA DE OPCIONES se diseñó para facilitar la tarea de localizar los comandos necesarios para ejecutar una acción. Cada una de las fichas de la cinta reúne los grupos de comandos relacionados con una actividad concreta (insertar, diseñar la página, introducir fórmulas, etc.). Para pasar de una ficha a otra basta con pulsar sobre su correspondiente pestaña.

1. Empezamos este ejercicio con un nuevo libro en blanco abierto en Excel. Por defecto, la ficha que se muestra activa al acceder a la aplicación es **Inicio**. Para visualizar el contenido de la ficha **Diseño de página**, haga clic sobre su pestaña. **1**

2. Observe que junto al título de algunos grupos de herramientas hay un pequeño icono. Es el **iniciador de cuadro de diálogo o de panel de opciones**. Pulse sobre ese icono del grupo **Configurar página**, por ejemplo. **2**

3. En este caso se ha abierto el cuadro **Configurar página** desde el cual podemos definir las propiedades de la página para su impresión. Ciérrelo pulsando el botón **Cancelar**. **3**

4. Además de las ocho fichas que aparecen por defecto en la **Cinta de opciones**, existen una serie de fichas de herramientas contextuales que, para evitar confusiones y mantener despejada la zona de trabajo, sólo aparecen cuando se encuentra

Para mostrar los atajos de teclado correspondientes a las herramientas de la Cinta de opciones, pulse la tecla **Alt**.

003

seleccionado el elemento al cual sus herramientas hacen referencia. Veamos un ejemplo. Active la ficha **Insertar** y haga clic sobre la herramienta **Tabla**, en el grupo de herramientas **Tablas**.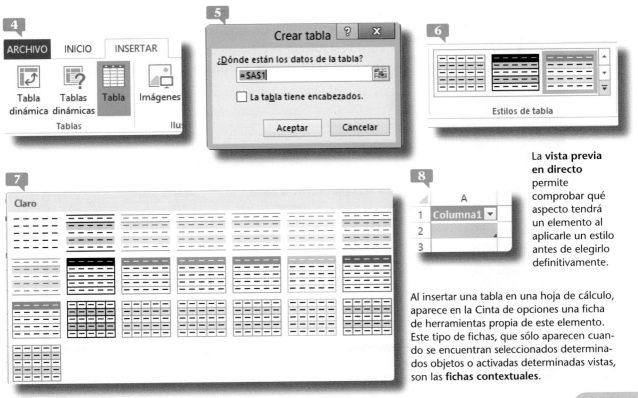

5. Mantenga la información que aparece en el cuadro **Crear tabla** y pulse el botón **Aceptar**.

6. Automáticamente se crea una tabla en la celda seleccionada a la vez que aparece en la **Cinta de opciones** una nueva ficha, denominada **Herramientas de tabla**, con una subficha llamada **Diseño**. Haga clic sobre el botón **Más** del grupo **Estilos de tabla**.

7. Aparece así una completísima galería de estilos de tabla que nos permite modificar el aspecto de nuestra tabla. Sitúe el puntero del ratón sobre el estilo que prefiera y compruebe cómo antes de aplicar este estilo, el programa muestra una vista previa del mismo en la tabla que hemos creado. Para aplicar definitivamente este estilo, pulse sobre él.

8. Haga clic en la celda **A1** y, manteniendo pulsada la tecla **Mayúsculas**, haga clic en la celda **A2** y pulse la tecla **Suprimir** para eliminar la tabla de la hoja.

IMPORTANTE

Otra novedad en Excel 2013 consiste en la posibilidad de ocultar la Cinta de opciones automáticamente y mostrarla únicamente cuando la necesite pulsando en la parte superior de la aplicación. Use para ello la opción adecuada del menú de opciones de apariencia de la Cinta.

La **vista previa en directo** permite comprobar qué aspecto tendrá un elemento al aplicarle un estilo antes de elegirlo definitivamente.

Al insertar una tabla en una hoja de cálculo, aparece en la Cinta de opciones una ficha de herramientas propia de este elemento. Este tipo de fichas, que sólo aparecen cuando se encuentran seleccionados determinados objetos o activadas determinadas vistas, son las **fichas contextuales**.

Personalizar el entorno de Excel

EN EL CUADRO OPCIONES DE EXCEL, al que se accede desde el renovado menú Archivo, disponemos de varios comandos que nos permiten realizar modificaciones en el entorno del programa. Algunas de esas opciones también están disponibles en la opción Cuenta de ese mismo menú.

1. Para empezar, haga clic en la pestaña **Archivo** y pulse sobre el comando **Opciones**. 🔳

2. Desde la ficha **General** podemos hacer que se muestre o no la minibarra de herramientas al seleccionar, con cuyas herramientas se puede modificar el formato del contenido de las celdas, habilitar o deshabilitar las vistas previas activas, mostrar las nuevas opciones de análisis rápido, etc. Veamos qué fondos nos ofrece el programa. Pulse el botón de punta de flecha del campo **Fondo de Office**, en el apartado **Personalizar la copia de Microsoft Office**, y elija la opción **Estrellas**. 🔳

3. En el apartado **Al crear nuevos libros**, podemos definir el tipo y el tamaño de letra que usará por defecto el programa así como establecer la vista predeterminada para las hojas y el número de hojas que incluirán los nuevos libros, que por defecto

1

Información

Nuevo

Abrir

Guardar

Guardar como

Imprimir

Compartir

Exportar

Cerrar

Cuenta

Opciones

2

☑ Habilitar vista prev | Sin fondo
Estilo de información | Caligrafía
| Circuito | ociones de características en informa
| **Estrellas**
Al crear nuevos libros | Fiambrera
| Fondo marino
Usar esta fuente com | Forraje | uente de cuerpo ⌄
Tamaño de fuente: | Garabatos de círculos | 1 ⌄
Vista predeterminada | Garabatos de diamantes | sta normal ⌄
Incluir este número d | Geometría | ⌃⌄
| Material escolar
Personalizar la copia d | Muelle
| Nubes
Nombre de usuario: | Rayas y círculos
☐ Usar siempre estos | Tres anillos | l inicio de sesión en Office.
Fondo de Office: | Rayas y círculos ⌄

En el apartado **Personalizar la copia de Office** también podemos modificar el nombre de usuario y el tema predeterminado de Office.

004

es 1 en esta versión del programa. Haga clic en la categoría **Avanzadas** del panel de la izquierda.

4. En esta ficha encontramos otras opciones de configuración del entorno de Excel. Cambiaremos ahora el número de libros recientes que mostrará el programa en la ventana de inicio rápido. Desplácese hacia abajo con la **Barra de desplazamiento vertical**, haga doble clic en el campo **Mostrar este número de Libros recientes** y escriba otro valor.

5. También podemos mostrar u ocultar la **Barra de fórmulas**, las barras de desplazamiento y los encabezados de filas y columnas. En el apartado **Mostrar**, desactive la opción **Mostrar barra de fórmulas**.

6. Siga bajando, desactive la opción **Mostrar encabezados de fila y columna** del apartado **Mostrar opciones para esta hoja** y pulse el botón **Aceptar** para aplicar los cambios.

7. El cambio de fondo de la aplicación es evidente, al igual que la desaparición de los encabezados de filas y columnas y de la **Barra de fórmulas**. Sitúese en la ficha **Vista** de la Cinta de opciones pulsando sobre su pestaña.

8. Desde aquí podemos cambiar las vistas del libro, mostrar u ocultar elementos, modificar el zoom y organizar las ventanas cuando haya más de una abierta. Active las opciones **Barra de fórmulas y Títulos** del grupo **Mostrar**.

9. Para recuperar el fondo original acceda esta vez a la opción **Cuenta** de la pestaña **Archivo** y elija la opción **Rayas y círculos** en el comando **Fondo de Office**.

> **IMPORTANTE**
>
> En la categoría **Avanzadas** del cuadro de opciones de Excel también podemos activar el acceso rápido a libros recientes y cambiar el número de carpetas recientes desancladas. Además, en la categoría **General**, podemos desactivar la aparición de la nueva ventana de inicio al acceder a la aplicación.

Desde el grupo de herramientas **Mostrar** de la ficha Vista es posible mostrar u ocultar la regla, las líneas de cuadrícula, la Barra de fórmulas y los títulos.

3

- ☑ Mostrar barra de fórmulas
- ☑ Mostrar información en pantalla de funciones
- ☐ Deshabilitar aceleración gráfica de hardware

Para las celdas con comentarios, mostrar:
- ○ Sin comentarios ni indicadores

5

| ☑ Regla | ☑ Barra de fórmulas |
| ☑ Líneas de cuadrícula | ☑ Títulos |

Mostrar

4

Mostrar opciones para esta hoja: 🖩 Hoja1

- ☑ Mostrar encabezados de fila y columna
- ☐ Mostrar fórmulas en celdas en lugar de los resultados calculados

6

Fondo de Office:

Rayas y círculos ▾

Tema de Office:

Blanco ▾

Abrir hojas de cálculo y libros de trabajo

LOS DOCUMENTOS CREADOS CON EXCEL se denominan libros. Cada uno de ellos se compone de varias hojas de cálculo almacenadas en un mismo archivo. Una hoja de cálculo es una cuadrícula rectangular formada por una determinada cantidad de celdas organizadas en filas y columnas.

1. En la **Barra de título** aparece el nombre asignado por defecto a un documento de Excel. Haga clic en la pestaña **Archivo** y cierre el libro pulsando sobre la opción **Cerrar**.

2. Si ha realizado cambios en el libro, el programa le preguntará si desea almacenarlo en el equipo. En el cuadro de diálogo, pulse el botón **No guardar**.

3. Vuelva a pulsar sobre la pestaña **Archivo**. Para crear un libro en blanco seleccione la opción **Nuevo** y haga clic en **Libro en blanco**.

4. Observe el título del nuevo libro que, al igual que el primero con el que hemos practicado, está compuesto por 1 hoja. Repita el paso anterior para crear un segundo libro en blanco.

5. Como novedad en Excel 2013, cada libro dispone de su propia ventana, lo que facilita el trabajo con dos libros a la vez cuando, por ejemplo, se trabaja con dos monitores. Pulse el botón **Minimizar tamaño** de la **Barra de título** del último libro que ha abierto y vea cómo se muestran las dos ventanas de los dos libros abiertos.

Información
Nuevo
Abrir
Guardar
Guardar como
Imprimir
Compartir
Exportar
Cerrar

Si cierra un libro en el que ha realizado cambios, aparecerá un cuadro de diálogo que le pregunta si desea guardarlos.

Libro en blanco

Puede cambiar el nombre de las **hojas** de un libro, modificar su ubicación y añadir nuevas hojas.

005

6. A continuación, editaremos la etiqueta del libro situado en primer plano. Haga doble clic sobre la etiqueta **Hoja 1** para mostrarla en modo de edición, asigne un nuevo nombre a la hoja y pulse la tecla **Retorno**.

7. Para abrir un libro que tenga guardado en su equipo, haga clic en la pestaña **Archivo** y pulse sobre el comando **Abrir**.

8. Si no tiene ningún documento de Excel guardado en su ordenador le recomendamos que se descargue de nuestra página web el documento **Puntos.xlsx** y lo almacene en su equipo. En la renovada ventana **Abrir**, pulse en la opción **Equipo**.

9. Excel 2013 le ofrece la posibilidad de acceder a sus carpetas recientes para localizar el archivo que desea abrir o bien buscarlo en todas las carpetas del equipo mediante el botón **Examinar**. Pulse ese botón, busque y seleccione su archivo en el cuadro **Abrir** y pulse el botón **Abrir**.

10. Seleccione una celda con contenido y compruebe que éste aparece también en la **Barra de fórmulas**, tanto si es de texto como numérico.

11. Si se trata del resultado de una fórmula, como en la imagen, en la barra aparecerá la operación en cuestión. Para eliminar el contenido de la celda seleccionada, pulse la tecla **Suprimir**.

12. Si esa celda interviene en una fórmula, podrá ver cómo ésta se actualiza de forma automática. Tras conocer el funcionamiento básico de una hoja de cálculo, guarde los cambios realizados en su documento si lo desea pulsando el icono **Guardar**, representado por un disquete en la **Barra de herramientas de acceso rápido**.

IMPORTANTE

Puede cambiar el nombre de las hojas utilizando la opción **Cambiar nombre** del menú contextual de sus etiquetas.

7

f_x	=SUMA(C3:E3)	

D	E	F
Partida	3 Partida	Total
10	35	105
50	45	130
35	40	105
30	10	80

Al modificar los componentes de una fórmula, el resultado final se actualiza de manera automática y se muestra en la celda correspondiente.

4

15

Prueba

LISTO

5

Nuevo

Abrir

Guardar

Guardar como

Imprimir

La opción **Abrir** de la pestaña **Archivo** muestra la nueva ventana **Abrir**, donde deberá localizar y seleccionar el archivo que desea abrir.

6

Abrir

🕒 Libros recientes

☁ SkyDrive de Núria Am

🖥 Equipo

➕ Agregar un sitio

🖥 Equipo

Carpetas recientes
📁 Mis documentos
📁 Escritorio

Examinar

8

ARCHIVO INICIO INSERTAR

Insertar hojas y moverse por ellas

PARA INSERTAR HOJAS se puede utilizar el botón Insertar de la ficha Inicio, el icono Hoja nueva que aparece a la derecha de las etiquetas de las hojas, o la opción Insertar del menú contextual de las etiquetas. También existen muchas maneras de desplazarse por las hojas de cálculo: utilizando el ratón, el teclado o las combinaciones de teclas.

1. Un libro de Excel 2013 tiene por defecto 1 hoja. Recuerde que puede modificar esta configuración inicial en el cuadro **Opciones de Excel**. Empezamos con un libro en blanco abierto en el programa. Para insertar una hoja en él, pulse el botón de punta de flecha de la herramienta **Insertar**, en el grupo **Celdas** de la ficha **Inicio**, y elija la opción **Insertar hoja**. 💬

2. Usando este método, la nueva hoja se sitúa a la izquierda de la que se hallaba seleccionada y adquiere el nombre de **Hoja2** siguiendo un orden correlativo. Ahora veamos otro sistema de insertar una hoja y desplazarla. Haga clic con el botón derecho del ratón sobre la pestaña **Hoja2** y elija la opción **Insertar**.

3. En el cuadro de diálogo **Insertar** vemos algunos de los objetos que se pueden insertar en un libro de Excel. Con la opción **Hoja de cálculo** seleccionada, pulse el botón **Aceptar**. 💬

4. Para cambiar el orden de estas hojas podemos arrastrarlas con el ratón o usar la opción **Mover o copiar** de su menú contextual. Pulse con el botón derecho del ratón sobre la etiqueta **Hoja3** y elija esa opción.

También puede insertar nuevas hojas pulsando la combinación de teclas **Mayúsculas+F11**.

El comando **Insertar** del menú contextual de las etiquetas de hoja abre el cuadro de diálogo del mismo nombre, en el que podemos elegir el tipo de elemento que queremos insertar.

5. En la lista de opciones del cuadro **Mover o copiar**, seleccione **mover al final** y pulse el botón **Aceptar**. [3]

6. Inserte ahora una nueva hoja al final del libro usando el icono **Hoja nueva**, situado a la derecha de las etiquetas de hoja. [4]

7. Para desplazarnos por las celdas de una hoja basta con que las seleccionemos con el ratón. Pulse, por ejemplo, sobre la celda **D9** de la hoja que acaba de insertar. [5]

8. También podemos desplazarnos por las celdas usando el teclado. Pulse la **tecla de dirección hacia arriba** para pasar a la celda **D8** y después pulse la tecla **Avance página** para desplazarse una pantalla entera hacia abajo.

9. Pulse ahora la combinación de teclas **Ctrl.+tecla de dirección hacia la derecha para** desplazarse hasta el final de la fila. [6]

10. Debe saber que, si hubiera alguna celda con contenido dentro de la fila activa, el desplazamiento se hubiera detenido en ella. Pulse ahora la tecla **Inicio**.

11. El desplazamiento nos ha llevado a la primera celda de la fila. Veamos un modo directo de acceder a una celda que no se encuentra visible en la pantalla. Pulse la herramienta **Buscar y seleccionar** del grupo **Modificar** y, de la lista de opciones que aparece, seleccione **Ir a**. [7]

12. En el campo **Referencia** del cuadro de diálogo **Ir a** escriba, por ejemplo, la combinación **K9** y pulse el botón **Aceptar**.

13. Puede utilizar el cuadro **Ir a** para acceder directamente a una celda concreta de una hoja: deberá introducir primero el nombre de la hoja y después, tras un signo de admiración cerrado, el nombre de la celda (p.e: Hoja1!A3). Pulse sobre la pestaña **Hoja2** para acceder a esta hoja y guarde el libro.

006

IMPORTANTE

Excel 2013 cuenta con 1.048.576 filas y 16.384 columnas.

[6]

XFB	XFC	**XFD**

La combinación de teclas **Ctrl.+tecla de dirección hacia la derecha** nos desplaza hasta la última celda de la fila en que se encuentra la celda seleccionada.

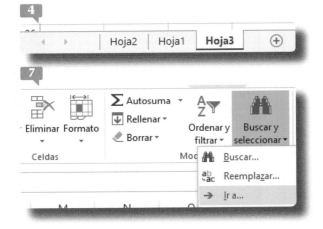

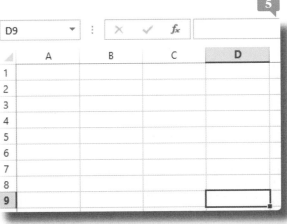

Mover las hojas e inmovilizar paneles

COMO SE HA VISTO EN EL EJERCICIO ANTERIOR, mover las hojas y cambiar su orden puede hacerse arrastrando la pestaña de una hoja hasta el punto en que se desee colocar o utilizando las opciones de su menú contextual. Las funciones Inmovilizar paneles, Inmovilizar fila superior e Inmovilizar primera columna, incluidas en el comando Inmovilizar de la ficha Vista, permiten mantener inmóviles esos elementos de manera que permanezcan visibles al desplazarse por la hoja de cálculo.

1. Imagine que le interesa situar la hoja 1 en primer lugar dentro de la barra de etiquetas de hojas. Haga clic sobre la etiqueta **Hoja1** y arrástrela hasta situarla sobre la etiqueta **Hoja2**. 🔲

2. La Hoja1 se sitúa a la izquierda de la Hoja2 y permanece activa. Ahora vamos a situar la Hoja3 delante de la Hoja2. Haga clic con el botón derecho del ratón sobre la etiqueta **Hoja3**.

3. Aparece el menú contextual de la hoja. Haga clic sobre la función **Mover o copiar**. 🔲

4. Se abre el cuadro **Mover o copiar**, al que también podemos acceder desde el comando **Formato** del grupo de herramientas **Celdas**, en la ficha Inicio. El apartado **Al libro** permite decidir a qué libro de los activos en este momento desea desplazar o

IMPORTANTE

La herramienta **Dividir**, incluida en el grupo de herramientas Ventana de la ficha Vista, permite crear diferentes paneles en una misma hoja. Esos paneles se pueden desplazar independientemente arrastrándolos por las líneas de división. Para quitar la división, podemos volver a pulsar la herramienta Dividir o bien hacer doble clic sobre las líneas de división.

⌐ Dividir	📖 Ver en paralelo
☐ Ocultar	📑 Desplazamiento s
☐ Mostrar	📑 Restablecer posic

Ventana

1

| Hoja2 | **Hoja1** | Hoja3 | Hoja4 |

Una de las maneras de desplazar las hojas dentro de un libro consiste en **arrastrar** directamente sus etiquetas hasta el lugar en que se desean colocar.

2

Insertar...

✗ Eliminar

Cambiar nombre

Mover o copiar...

Q Ver código

Proteger hoja...

Color de etiqueta ▶

Ocultar

Mostrar...

Seleccionar todas las hojas

También se puede acceder al cuadro **Mover o copiar** para indicar en él el lugar del libro donde se desea ubicar la hoja.

3

Mover o copiar

Mover hojas seleccionadas
Al libro:

Libro1

Antes de la hoja:

Hoja1
Hoja2
Hoja3
Hoja4
(mover al final)

☐ Crear una copia

Aceptar   Cancelar

copiar la hoja seleccionada en el libro actual. Por otro lado, en el cuadro **Antes de la hoja** debemos indicar antes de qué hoja deseamos situar la hoja seleccionada. Seleccione la opción **Hoja2** en ese cuadro y pulse **Aceptar**.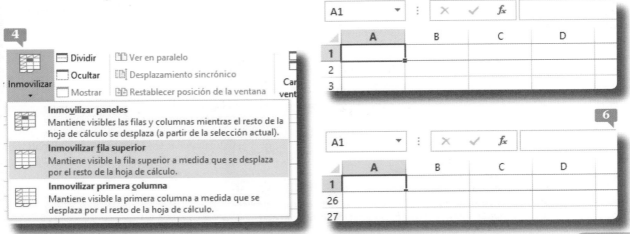

5. Ahora que ya conoce los dos métodos para desplazar las hojas, devuélvalas a sus posiciones lógicas mediante la técnica de arrastre. Seguidamente aprenderemos a inmovilizar partes de una hoja para que permanezcan visibles aún cuando nos desplacemos por ésta. Haga clic en la pestaña **Vista** de la **Cinta de opciones**.

6. Imagine que la primera fila de esta hoja va a contener los títulos de una tabla y le interesa mantenerlos siempre visibles. Haga clic en el comando **Inmovilizar** del grupo de herramientas **Ventana** y pulse sobre la opción **Inmovilizar fila superior**.

7. Aparece bajo la primera fila de la hoja una línea que nos indica que está bloqueada. Haga clic en la parte inferior de la **Barra de desplazamiento vertical** para comprobarlo.

8. Ahora inmovilizaremos también la primera columna. Haga clic de nuevo en el comando **Inmovilizar** y pulse en la opción **Inmovilizar primera columna**.

9. Ahora la fila superior deja de estar bloqueada y es la primera columna la que permanecerá visible aunque nos desplacemos hacia la derecha de la hoja. Compruébelo usando la **Barra de desplazamiento horizontal**.

10. Pulse nuevamente el comando **Inmovilizar** y seleccione la opción **Movilizar paneles** para devolver a las filas y columnas su estado original.

007

IMPORTANTE

Para inmovilizar filas y columnas debemos seleccionar la celda situada por debajo y a la derecha del punto en que deseamos que aparezca la división y utilizar la opción **Inmovilizar paneles**.

Fíjese que al tener la primera fila inmovilizada ésta no se mueve cuando desplazamos el resto de las filas. Aunque baje hasta la fila 30, en la parte superior siempre estará la primera. Ocurre lo mismo cuando inmoviliza una columna.

Eliminar hojas

LA ELIMINACIÓN DE UNA HOJA DE UN LIBRO puede llevarse a cabo desde el botón Eliminar de la ficha Inicio de la Cinta de opciones o usando la opción Eliminar del menú contextual de las etiquetas de las hojas.

1. Comprobaremos en primer lugar que, al intentar eliminar una hoja con contenido, Excel lanza un mensaje de advertencia. Escriba una combinación de números cualquiera en la celda que tenga seleccionada en estos momentos y pulse la tecla **Retorno** para confirmar la entrada.

2. Haga clic en el botón de punta de flecha de la herramienta **Eliminar**, en el grupo **Celdas** de la ficha **Inicio** y pulse sobre la opción **Eliminar hoja**. 🗨

3. Aparece el cuadro **Microsoft Excel**, donde el programa nos informa de que la hoja contiene datos que se eliminarán definitivamente si aceptamos la operación. Para no eliminar la hoja, pulse el botón **Cancelar** de este cuadro de diálogo. 🗨

Recuerde que para **activar hojas** basta con pulsar en la etiqueta con su nombre que encontrará sobre la Barra de estado.

Al intentar eliminar una hoja con contenido, Excel lanza un cuadro de advertencia que nos permite cancelar la acción si no queremos eliminarla definitivamente.

4. Por el contrario, si la hoja está vacía, el programa la elimina directamente, como veremos ahora mismo. Haga clic en la etiqueta de una hoja vacía de su libro. **3**

5. Pulse nuevamente el botón de punta de flecha de la herramienta **Eliminar**, en el grupo **Celdas**, y seleccione la opción **Eliminar hoja**. **4**

6. Automáticamente la hoja elegida se elimina y el resto de hojas del libro se desplazan hacia la izquierda, ocupando el espacio que ha dejado la hoja suprimida (siempre y cuando ésta no sea la última hoja, en cuyo caso la posición de las anteriores no variará). También es posible eliminar hojas usando la opción adecuada del menú contextual de su etiqueta. Haga clic con el botón derecho del ratón sobre la etiqueta de una de sus hojas y, del menú contextual que se despliega, seleccione la opción **Eliminar**. **5**

7. Si la hoja que va a eliminar tiene contenido, asegúrese de que éste no es importante, ya que no podrá recuperarlo, y pulse el botón **Eliminar** del cuadro de diálogo.

IMPORTANTE

Hay que tener en cuenta que la **eliminación de hojas** es un proceso **irreversible**, por lo que antes de llevarlo a cabo es importante asegurarse de que el contenido de la hoja no es importante, ya que se perderá completamente al eliminarla.

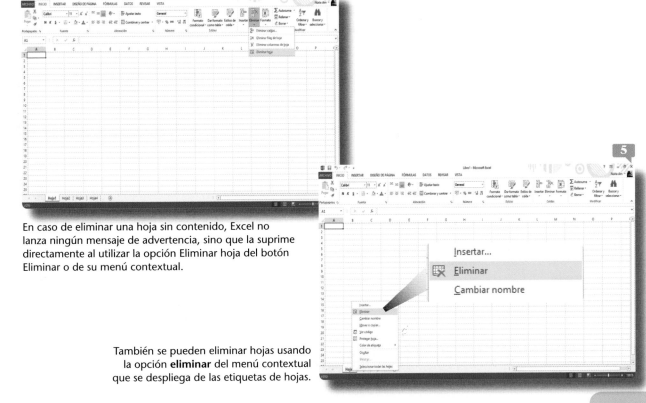

En caso de eliminar una hoja sin contenido, Excel no lanza ningún mensaje de advertencia, sino que la suprime directamente al utilizar la opción Eliminar hoja del botón Eliminar o de su menú contextual.

También se pueden eliminar hojas usando la opción **eliminar** del menú contextual que se despliega de las etiquetas de hojas.

Ver las propiedades de los archivos

EL PANEL PROPIEDADES DEL DOCUMENTO permite añadir a los libros datos que facilitan su identificación como su autor, su título, el asunto del que tratan, etc. Parte de esta información puede ser modificada por el usuario, mientras que otra no puede ser editada ya que es el reflejo de la acciones que se llevan a cabo con el fichero.

1. Para empezar, haga clic en la pestaña **Archivo** y active, si no lo está, la categoría **Información**.

2. En la denominada vista backstage, situada a la derecha de las opciones de la categoría seleccionada, puede ver ya algunas de las propiedades del libro. Haga clic sobre el comando **Propiedades** y seleccione la opción **Mostrar el panel de documentos**. 📍

3. Aparecerá sobre las celdas el panel **Propiedades del documento**, mostrando información básica del libro, desde el que podemos acceder a las propiedades avanzadas. Haga clic en el comando **Propiedades del documento** y seleccione la opción **Propiedades avanzadas**. 📍

1

Propiedades ▾
🅘 **Mostrar el panel de documentos** Edite las propiedades en el Panel de documentos sobre el libro.
🗒 **Propiedades avanzadas** Ver más propiedades del documento

Última modificación	Hoy, 19:38
Fecha de creación	Hoy, 18:48
Última impresión	

Desde el comando **Propiedades** de la categoría **Información** también podemos acceder al cuadro de **propiedades avanzadas**.

3

Propiedades de Libro1   ? X

| General | Resumen | Estadísticas | Contenido | Personalizar |

2

🅘 Propiedades del documento ▾

Auto 🗒 Propiedades avanzadas...   Asunto:

Nuria

Comentarios:

A2	▾	:	✕	✓	fx	

▲	A	B	C	D	E
1	123456789				

4. Se abre así el cuadro de **Propiedades del Libro** (nombre del libro) mostrando la ficha **General** en la que se listan las características generales del archivo. Pulse en la pestaña **Resumen**.

5. En esta ficha es posible introducir información. En el cuadro de texto **Título** escriba, por ejemplo, la palabra **Cobro**.

6. Sitúe el cursor en el campo **Administrador** y escriba su nombre.

7. A continuación, inserte la palabra **Contabilidad** en el campo **Categoría**.

8. El campo **Palabras clave** suele utilizarse para introducir palabras por las que, posteriormente, se puede proceder a la búsqueda del archivo. En este campo escriba, por ejemplo, la palabra **cobro**.

9. Pulse en la pestaña **Estadísticas** para comprobar el tipo de información que guarda y haga lo mismo con las pestañas **Contenido** y **Personalizar**.

10. En la ficha **Personalizar** puede incluir nuevas propiedades para el documento. En el campo **Nombre** seleccione la opción **Departamento**, pulse en el campo **Valor** y escriba el término **Contable**.

11. Pulse el botón **Agregar** para confirmar la acción y salga del cuadro de propiedades avanzadas pulsando el botón **Aceptar**.

Puede comprobar que el panel **Propiedades del documento** se ha actualizado con la nueva información de archivo añadida. Para cerrar este panel, utilice el botón de aspa situado en su extremo derecho.

Título:	Cobro
Asunto:	
Autor:	Nuria
Administrador:	Nuria
Categoría:	Contabilidad
Palabras clave:	cobro

En la ficha Resumen puede introducir **propiedades de tipo estándar** del documento (título, autor, administrador, categoría, palabras clave, etc.). Las fichas General, Estadísticas y Contenido, por su parte, ofrecen información no personalizable acerca del documento.

Departamento		Agregar
Alto de correo		Eliminar
Asunto		
Cliente		
Comprobado por		
Departamento		
Destino		
Texto		
Contable		Vincular al conten
Nombre	Valor	Tipo

Desde la ficha **Personalizar** puede añadir nuevos atributos como el departamento, la oficina, la fecha de registro y la de finalización, etc. Al aceptar el cuadro de propiedades, la información se actualizará en el panel correspondiente.

Guardar un libro

LA PRIMERA VEZ QUE SE GUARDA UN LIBRO, Excel pregunta el nombre que se le desea dar y la ubicación donde debe ser almacenado. En ocasiones posteriores, cuando ya se han establecido las condiciones de almacenamiento, el programa guarda directamente el archivo en el mismo lugar donde se hallaba y con el mismo nombre con sólo pulsar el icono Guardar.

IMPORTANTE

En Excel 2013 es posible guardar archivos en el nuevo formato de archivo Hoja de cálculo **Open XML** (.xlsx), que permite leer y escribir fechas ISO8601.

1. En este ejercicio aprenderemos a guardar un libro de Excel. Para empezar, pulse sobre la herramienta **Guardar,** cuyo icono muestra un disquete en la **Barra de herramientas de acceso rápido.**

2. Se activa de este modo la categoría **Guardar como** del renovado menú **Archivo** donde debemos especificar en primer lugar en qué ubicación queremos almacenar el libro. Como novedad en Excel 2013, podemos elegir una ubicación en la nube, como nuestro espacio de almacenamiento SkyDrive, e incluso agregar otros sitios, como veremos más adelante. En esta ocasión, pulse en la opción **Equipo.**

3. Se muestran ahora las carpetas a las que haya accedido recientemente y el botón **Examinar,** que le permitirá localizar cualquier otra que no aparezca en ese listado. Elija en este caso la carpeta **Mis documentos.**

4. Se abre el cuadro **Guardar como,** donde deberemos especificar ahora el nombre del libro y el formato en que queremos

La primera vez que se intenta guardar un libro usando el icono **Guardar** de la Barra de herramientas de acceso rápido se activa la categoría Guardar como, en la que se debe indicar la ubicación en que quedará almacenado el libro.

almacenarlo. Escriba un nombre para su archivo en el campo correspondiente y, manteniendo seleccionado el tipo de archivo **Libro de Excel (.xlsx)**, pulse el botón **Guardar**.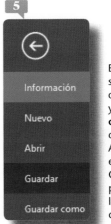

5. Una vez guardado el libro, si realizamos modificaciones en él y volvemos a activar la función **Guardar**, ya no aparecerá la sección **Guardar como**, sino que se guardará directamente con las propiedades establecidas anteriormente. Vamos a comprobarlo. En la celda **C5** escriba el valor **10** y pulse la tecla **Retorno** para confirmar la entrada.

6. Esta vez, haga clic en la pestaña **Archivo** y pulse sobre la opción **Guardar**.

7. Ahora comprobaremos qué ocurre al intentar cerrar un libro que ha sufrido una modificación no almacenada. Sitúese en una celda con contenido, pulse la tecla **Suprimir** para borrarlo y haga clic en el **botón de aspa** de la **Cinta de opciones** del libro para intentar cerrarlo.

8. Excel nos pregunta si queremos guardar los cambios efectuados en este libro. Si aceptamos, el libro se guardará con las últimas características establecidas y si no, se conservará la versión previa a la supresión del contenido. Pulse el botón **Cancelar** del cuadro Microsoft Excel.

También podemos acceder directamente al cuadro **Guardar como** usando esa opción del menú **Archivo**. Gracias a esta función podemos guardar copias de un mismo documento con diferentes nombres y en diferentes ubicaciones.

010

Encontrará siempre las opciones **Guardar** y **Guardar como** dentro de la pestaña Archivo. Para ejecutar la función Guardar, también podemos usar la combinación de teclas **Ctrl.+G**.

Por defecto, el libro se guarda con la extensión .xlsx, propia de los documentos de Excel 2013, donde la x final hace referencia al formato XML abierto de Office.

Si intenta cerrar el libro sin haber guardado antes los cambios, Excel lanza este mensaje de advertencia.

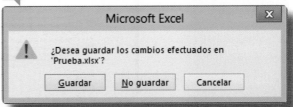

Convertir de Excel 97-2003 a Excel 2013

UN LIBRO CREADO EN VERSIONES ANTERIORES a Excel 2013 puede ser abierto en esta versión del programa y un libro creado con Excel 2013 puede ser almacenado con el formato de las versiones anteriores. Del mismo modo, cuando se abre en Excel 2013 un libro con la extensión propia de Excel 97-2003, se activa la función Convertir, con la que es posible convertirlo al formato .xlsx propio de Excel 2013.

1. En este ejercicio veremos cómo almacenar un libro de Excel 2013 en el formato de Excel 97-2003 y cómo convertirlo después al formato .xlsx. Empezamos con un libro de Excel abierto en la aplicación. Pulse en la pestaña **Archivo** y elija la opción **Guardar como**.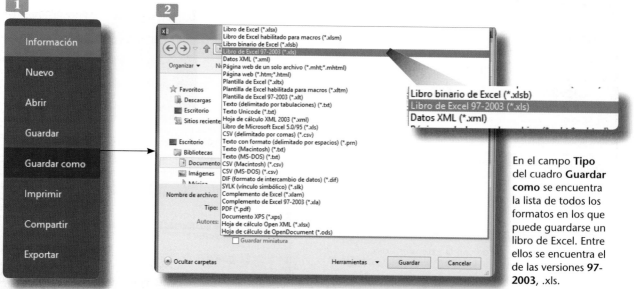

2. En la vista **Guardar como**, mantenga seleccionada la ubicación **Equipo** y elija la carpeta **Mis documentos.**

3. Se abre el cuadro de diálogo **Guardar como**. Haga clic en el botón de punta de flecha del campo **Tipo**, que muestra por defecto la opción **Libro de Excel**, y elija la opción **Libro de Excel 97-2003**.

4. Tenga en cuenta que al guardar el documento con este formato tendrá dos archivos con el mismo nombre, uno con exten-

En el campo **Tipo** del cuadro **Guardar como** se encuentra la lista de todos los formatos en los que puede guardarse un libro de Excel. Entre ellos se encuentra el de las versiones **97-2003**, .xls.

sión .xls y otro con extensión .xlsx. Mantenga el nombre del libro original y pulse el botón **Guardar**.

5. Observe ahora la **Barra de título**. Se ha creado un nuevo libro con la extensión propia de los libros de Excel 97-2003. Al trabajar con libros de este tipo, la opción **Convertir** de la categoría **Información** del menú **Archivo** nos permite cambiar nuevamente este documento para convertirlo al formato de Excel 2013. Abra el menú **Archivo** y pulse sobre dicha opción. **3**

6. Como ve, esta opción abre de nuevo el cuadro **Guardar como**, donde ya se muestra seleccionada la extensión adecuada en el campo **Tipo**. Puesto que ya disponemos de este libro con ese formato, puede cancelar el cuadro. **4**

7. Para acabar, cierre el libro con extensión .xls pulsando el botón de aspa de la **Barra de título**. **5**

Como ve, los procesos para guardar un libro de Excel 2013 con formato de versiones anteriores a la 2007 y para convertir un archivo .xls en un archivo .xlsx son sencillos. Para el segundo caso, tenga en cuenta que algunas características nuevas de Excel 2013 pueden deshabilitarse para evitar problemas cuando se trabaja con versiones anteriores de Office.

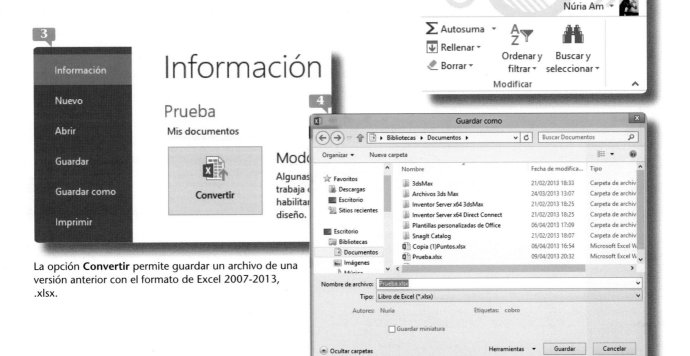

La opción **Convertir** permite guardar un archivo de una versión anterior con el formato de Excel 2007-2013, .xlsx.

Guardar como PDF o XPS

LOS FORMATOS PDF Y XPS facilitan la publicación electrónica de libros de Excel con el aspecto que tendrán al imprimirlos. Para guardar libros de Excel en esos formatos basta con seleccionar la opción adecuada en el campo Tipo del cuadro Guardar como.

1. Imaginemos que tenemos que enviar a varias personas el libro con el que estamos practicando para que lo corrijan y añadan comentarios. Haga clic en la pestaña **Archivo** y seleccione la opción **Guardar como**.

2. Tras seleccionar la ubicación **Equipo** y la carpeta **Mis documentos**, ■ haga clic en el botón de punta de flecha del campo **Tipo** en el cuadro **Guardar como** y seleccione la opción **PDF**. ■

3. Aparecerán varias opciones relacionadas con el formato PDF de Adobe. Si mantenemos activada la opción **Abrir archivo tras publicación**, el sistema abrirá el programa apropiado para visualizar el documento (el lector de Windows 8, Adobe Reader o Adobe Acrobat) si lo tiene instalado en su equipo. Pulse el botón **Opciones** que ha aparecido en el cuadro **Guardar como**.

4. En el cuadro **Opciones** ■ podemos especificar el intervalo de páginas que queremos almacenar así como indicar si quere-

En el cuadro **Opciones** se establecen las condiciones para la publicación.

mos publicar el libro entero, sólo una selección o las hojas activas, y el tipo de información no imprimible que queremos incluir, entre otras opciones. Mantenga las opciones tal y como se muestran por defecto y pulse el botón **Aceptar**.

5. A continuación pulse el botón **Guardar**.

6. En pocos segundos se crea el documento PDF y se abre en nuestro caso el programa **Lector de Windows** (de Windows 8) para mostrar el resultado de la operación. Sitúe el puntero del ratón en la esquina superior izquierda de la pantalla y pulse sobre la miniatura **Escritorio** para restablecer a ventana del libro de Excel.

7. El procedimiento que debemos seguir para publicar el mismo libro en formato XPS es idéntico al que acabamos de ver. Acceda de nuevo al cuadro **Guardar como** y elija el formato **Documento XPS** en la categoría **Tipo**.

8. Pulse el botón **Guardar.**

9. El archivo con extensión .xps que se ha creado también se abre en pantalla con el Lector de Windows. Vuelva a mostrar la ventana del libro de Excel.

10. Por último, sitúe el puntero del ratón en la esquina superior izquierda de la pantalla y use la opción **Cerrar** del menú contextual de la miniatura del lector para cerrarlo y dar por acabado el ejercicio.

IMPORTANTE

El formato XPS (XML Paper Specification) es la alternativa de Microsoft al formato PDF, usa la tecnología XML y facilita también el intercambio de documentos.

En Windows 8 las miniaturas de todas las aplicaciones abiertas se encuentran ocultas en este panel lateral izquierdo.

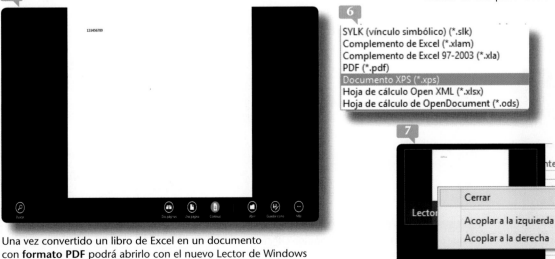

Una vez convertido un libro de Excel en un documento con **formato PDF** podrá abrirlo con el nuevo Lector de Windows o bien con **Adobe Reader** o **Adobe Acrobat**.

SYLK (vínculo simbólico) (*.slk)
Complemento de Excel (*.xlam)
Complemento de Excel 97-2003 (*.xla)
PDF (*.pdf)
Documento XPS (*.xps)
Hoja de cálculo Open XML (*.xlsx)
Hoja de cálculo de OpenDocument (*.ods)

Cerrar

Acoplar a la izquierda

Acoplar a la derecha

Guardar y compartir archivos en línea

UNA DE LAS NOVEDADES MÁS INTERESANTES de toda la suite Office 2013 consiste en la posibilidad de almacenar los documentos creados con sus diferentes aplicaciones en una ubicación propia en línea, como un espacio de almacenamiento gratuito SkyDrive o el servicio de Office 365. Esta operación permitirá a su vez que los usuarios puedan compartir fácilmente documentos sin importar el dispositivo que estén utilizando o el lugar donde se encuentren.

1. En este ejercicio veremos cómo guardar un libro de Excel en la nube para poder disponer de él en cualquier momento y desde cualquier lugar y facilitar así su compartimiento con otros usuarios. En este ejemplo guardaremos el libro en nuestro espacio de almacenamiento SkyDrive, para lo cual es necesario que disponga de una cuenta en Office y haya iniciado sesión con ella. Pulse en la pestaña **Archivo** y haga clic en la opción **Guardar como.**

2. Si ha iniciado sesión con su cuenta en Office, aparecerá su nombre de usuario junto a la opción **SkyDrive**. Pulse sobre esa opción.

3. El libro se almacenará tanto en su espacio de Internet como en la carpeta de documentos de SkyDrive de su equipo para que pueda trabajar sin conexión y los cambios se sincronicen automáticamente cuando vuelva a conectarse al servicio. Si

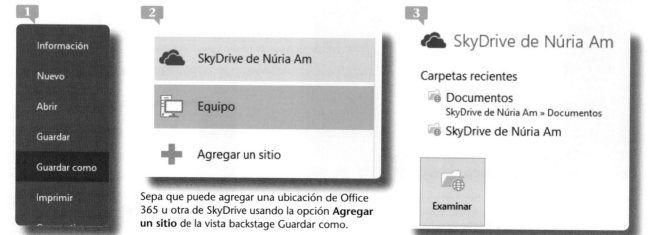

Sepa que puede agregar una ubicación de Office 365 u otra de SkyDrive usando la opción **Agregar un sitio** de la vista backstage Guardar como.

la carpeta de SkyDrive donde quiere guardar su libro no aparece en el apartado **Carpetas recientes**, use el botón **Examinar** para localizarla. 🔳³

4. Aparecerá el cuadro **Guardar como**, donde deberá seleccionar la carpeta deseada y establecer un nombre y un formato para el libro. Hágalo y pulse el botón **Guardar**. 🔳⁴

5. Una vez guardado el archivo en SkyDrive, veamos cómo compartirlo con otros usuarios para que puedan modificarlo y trabajar así en grupo. Pulse en la pestaña **Archivo** y haga clic en la categoría **Compartir**.

6. El nombre del libro publicado en la nube aparece ya en la vista backstage de esta categoría. Como ve, podemos ahora enviar una invitación a otros usuarios para compartirlo con ellos, obtener un vínculo de uso compartido, compartirlo en redes sociales o enviarlo por correo electrónico. Mantenga seleccionada la opción **Invitar a personas** y escriba la dirección de correo electrónico de uno de sus contactos en el primer campo. 🔳⁵

7. Puede especificar si este usuario podrá únicamente ver el libro o también modificarlo, así como incluir un mensaje personal con la invitación y solicitar que el usuario inicie sesión para poder acceder al libro. Pulse el botón **Compartir**.

Tras un breve proceso, 🔳⁶ compruebe que ahora en el apartado **Compartido con** aparece usted como propietario y su contacto con las propiedades de compartimiento que haya establecido.

013

Agregar servicios a su cuenta de Office

TAMBIÉN COMO NOVEDAD EN EXCEL 2013 puede agregar diferentes servicios a su cuenta de usuario para agregar imágenes y vídeos desde sus sitios favoritos, almacenar sus documentos en la nube para disponer de ellos en cualquier momento y desde cualquier ubicación y compartirlos con sus amigos y conocidos.

1. Microsoft Office 2013 permite agregar servicios de redes sociales (Facebook, Twitter y LinkedIn), de publicación de imágenes y vídeos (Flickr y YouTube) y de almacenamiento en la nube (Office 365 SharePoint y SkyDrive) a la cuenta de Office con la que estamos trabajando. Pulse en la pestaña **Archivo** y haga clic en la categoría **Cuenta**.

2. En la vista Backstage de esta categoría podemos ver y editar los datos de nuestra cuenta de usuario, conocer la información de producto, modificar algunas opciones de interfaz como el fondo de Office, comprobar cuáles son los servicios conectados y agregar nuevos servicios. Pulse el botón **Agregar un servicio**.

3. Como hemos dicho en la introducción, en esta versión de Excel es posible conectar con servicios que nos permiten agregar imágenes y vídeos desde nuestros sitios de Facebook, Flickr y YouTube, almacenar documentos en la nube con Office 365 o SkyDrive y compartir documentos con nuestros contactos de Facebook, Twitter y LinkedIn. Lógicamente, para poder agre-

Fondo de Office:

Rayas y círculos

Tema de Office:

Blanco

Servicios conectados:

SkyDrive de Núria Am

Agregar un servicio ▾

Agregar un servicio ▾

Imágenes y vídeos
Agregue imágenes y vídeos desde sus sitios favoritos

Almacenamiento
Almacene sus documentos en la nube y acceda a ellos desde prácticamente cualquier sitio

Facebook para Office

Flickr

YouTube

014

gar estos servicios es necesario que disponga de una cuenta en cada uno de ellos. Pulse en la opción **Imágenes y vídeos** y elija el comando **Flickr**.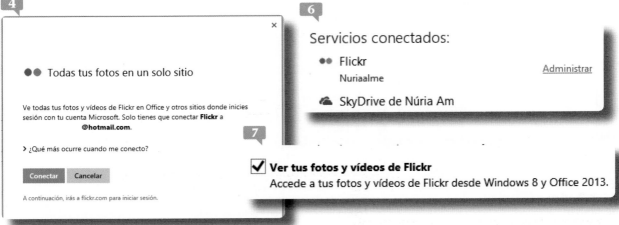

4. Se abre una ventana que nos informa de la acción que estamos a punto de llevar a cabo, la conexión de nuestra cuenta de Flickr con nuestra cuenta de Office, que nos permitirá ver nuestras fotos y vídeos publicados en ese servicio en Office y en otros sitios en los que iniciemos sesión con nuestra cuenta de Microsoft. Pulse el botón **Conectar**.

5. Ahora debemos introducir nuestros datos de usuario de Flickr en la ventana de inicio de sesión. Hágalo y pulse el botón **Iniciar sesión**.

6. La información de la ventana se actualiza para indicar que ya estamos conectados a Flickr. Pulse el botón **Listo**.

7. Observe que el nuevo servicio al que nos hemos conectado aparece ya en el apartado **Servicios conectados**. Pulse en el vínculo **Administrar**.

8. Se abre el navegador mostrando la página de configuración de nuestra conexión entre cuentas. Desde aquí podemos personalizar la información que queremos compartir entre ellas así como quitar la conexión completamente. Mantenga activada la opción **Ver tus fotos y vídeos de Flickr** y pulse el botón **Guardar**.

9. En la siguiente pantalla podemos seguir agregando y administrando cuentas. Cierre el navegador pulsando el botón de aspa de su **Barra de título** para regresar al libro de Excel y dar por acabado el ejercicio.

5

Desde la ventana de inicio de sesión en Flickr también es posible crear una cuenta nueva o iniciar sesión con la cuenta de Facebook o con la de Google.

Trabajar con filas y columnas

LAS CELDAS QUE COMPONEN la hoja de cálculo se organizan en filas y columnas. Las columnas están identificadas por una letra o combinación de letras situadas en su cabecera y las filas por un número situado a su izquierda. Veremos en esta lección el modo de seleccionar columnas y filas completas.

1. Para trabajar con filas y columnas utilizaremos un archivo con datos. Abra el libro **Puntos.xlsx** que puede descargar desde nuestra página web.

2. Haga clic sobre la letra **C** que identifica la tercera columna. 🔲1

3. Todas las modificaciones que en este momento efectuáramos afectarían a la totalidad de las celdas que contiene la columna C. Haga clic sobre el número **5** situado a la izquierda de la quinta fila.

4. Para seleccionar toda la hoja de cálculo pulse sobre el cuadro gris con punta de flecha situado en la intersección del nombre de la primera columna y la primera fila. 🔲2

5. Ahora se encuentra seleccionada toda la hoja de cálculo. Para eliminar esta selección, haga clic en cualquier celda.

6. Las columnas tienen una anchura establecida por defecto de 80 píxeles. Esta anchura es modificable. Si sitúa el cursor entre las

1

	A	B	C	3
1	PUNTOS	1 Partida	2 Partida	
2	Álvarez		60	10
3	Pérez		35	50
4	Bonito		30	35
5	Flores		40	30
6	Vera		35	35
7	Balaguer		35	45
8	Asensi		20	15
9	Nerín		10	35
10				

Pulsando en sus cabeceras, puede seleccionar filas y columnas enteras. Cuando una fila o una columna se encuentra seleccionada, los cambios afectarán a todas las celdas que en ella se incluyen.

2

	A	B	2 Par
1	PUNTOS	1 Partida	
2	Álvarez	60	
3	Pérez	35	
4	Bonito	30	
5	Flores	40	
6	Vera	35	
7	Balaguer	35	
8	Asensi	20	
9	Nerín	10	

Para seleccionar toda la hoja, deberá pulsar el botón con una punta de flecha situado en la esquina superior izquierda de la hoja. La deselección se consigue pulsando en cualquier celda.

3

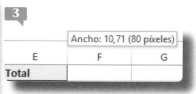

Haciendo clic con el botón izquierdo entre dos columnas podemos ver cuál es el ancho de la columna que se sitúa en la izquierda.

015

letras de las cabeceras de las columnas verá que cambia la forma del puntero del ratón. Haga clic sin liberar el botón izquierdo del ratón para ver el ancho de columna. **3**

7. La etiqueta nos indica el ancho de la columna. Las filas tienen una altura predeterminada de 20 píxeles o 15 caracteres, medida que también puede modificarse. Sitúe el puntero entre los números que identifican a las filas **6** y **7**, por ejemplo, y haga clic sin liberar el botón para ver la altura de la fila.

8. Para modificar las dimensiones predeterminadas de una columna, pulse con el botón derecho del ratón en su cabecera y, de su menú contextual, elija la opción **Ancho de columna**. **4**

9. En el cuadro **Ancho de columna**, inserte, a modo de ejemplo, el valor **6** y pulse el botón **Aceptar** para aplicar el cambio. **5**

10. Verá que ahora la columna es más estrecha. Para modificar la altura de una fila, haga clic con el botón derecho del ratón sobre su cabecera y, en su menú contextual, seleccione la opción **Alto de fila**. **6**

11. En el cuadro **Alto de fila**, inserte, por ejemplo, el valor **18** y pulse el botón **Aceptar**. **7**

Guarde los cambios realizados pulsando el icono **Guardar** de la **Barra de herramientas de acceso rápido** para dar por acabado el ejercicio.

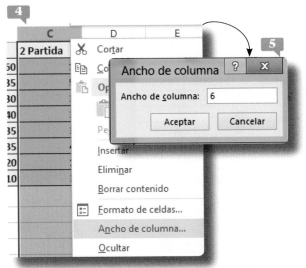

El menú contextual de la cabecera de cualquier columna incluye la opción **Ancho de columna**, que abre el cuadro del mismo nombre que nos permite modificar la anchura de la columna seleccionada.

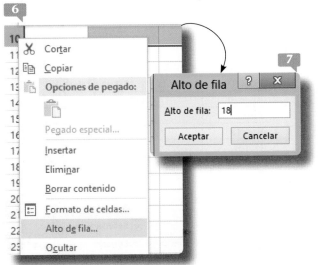

El menú contextual de la cabecera de cualquier fila incluye la opción **Alto de fila**, que da paso al cuadro del mismo nombre que nos permite modificar la altura de la fila seleccionada.

Autoajustar columnas y filas

EL AUTOAJUSTE ES OTRA de las formas de modificar la anchura de las columnas y la altura de las filas. Al igual que las demás funciones relacionadas, las funciones de autoajuste se encuentran en el botón Formato, en el grupo de herramientas Celdas de la ficha Inicio.

1. En este ejercicio veremos el modo de ajustar las columnas y las filas al contenido de algunas celdas del libro **Puntos** con el que hemos practicado en el anterior. Seleccione la celda **C1** y compruebe que el contenido sobrepasa el ancho de la columna que hemos asignado en el ejercicio anterior. ▶

2. Haga clic en el botón **Formato** del grupo de herramientas **Celdas**, en la ficha **Inicio**, y pulse sobre la opción **Autoajustar ancho de columna**. ▶

3. Automáticamente toda la columna se ensancha para poder mostrar completo el contenido que la superaba con su tamaño predeterminado. ▶ Vamos a recuperar su tamaño predeterminado para llevar a cabo la misma acción mediante otro procedimiento. Pulse el icono **Deshacer** ▶ de la **Barra de herramientas de acceso rápido**.

Utilice la opción **Autoajustar ancho de columna** del botón Formato para que la columna que seleccione se amplíe o se reduzca en función de su contenido.

1

	A	B	C	D
1	PUNTOS	1 Partida	2 Partid	3 Partida
2	Álvarez		60	10
3	Pérez		35	50
4	Bonito		30	35
5	Flores		40	30

3

B	C	D
1 Partida	2 Partida	3 Partida
60	10	
35	50	
30	35	
40	30	
35	35	

Todas las celdas que componen la columna se ajustarán al contenido más largo.

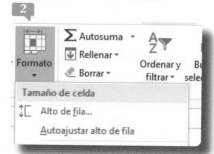

2

Σ Autosuma ·
Formato ↓ Rellenar ·   A Z Ordenar y B
         ✎ Borrar ·   Z   filtrar · sele

Tamaño de celda
↕[Alto de fila...
   Autoajustar alto de fila

4

ARCHIVO INICIO INSERTAR

El icono deshacer sirve para anular la última acción ejecutada.

44

016

4. Para ajustar de nuevo la anchura de la columna al contenido más largo, haga doble clic en la barra que separa los títulos de las cabeceras de la columna en cuestión y la siguiente.

5. El resultado es el mismo. La columna se ajusta al contenido más largo. Pulse de nuevo en el botón **Formato** y elija esta vez la opción **Ancho de columna**.

6. En el cuadro **Ancho de columna** 🖳, con el que ya había trabajado antes, escriba el valor **10,21** y pulse **Aceptar**.

7. Para autoajustar la altura de las filas a su contenido el procedimiento que debe seguir es idéntico. Arrastre hacia abajo el margen inferior de una de las cabeceras de fila de su hoja para aumentar ligeramente su tamaño. 🔳

8. Seleccione esa fila completa pulsando en su cabecera, haga clic en el botón **Formato** y elija esta vez la opción **Autoajustar alto de fila**. 🔳

9. Excel ajusta así la altura de la fila seleccionada a su contenido. Puede volver a darle una altura específica accediendo al cuadro **Alto de fila** desde el botón **Formato** o desde su menú contextual. En este caso, sin embargo, dejaremos la hoja tal y como ha quedado y acabaremos el ejercicio guardando los cambios con ayuda del botón **Guardar** de la **Barra de herramientas de acceso rápido**.

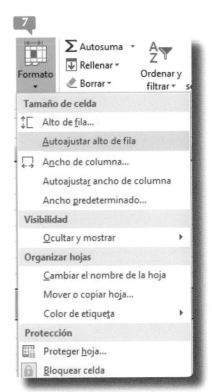

Al utilizar la opción **Autoajustar alto de fila** del botón Formato la altura de la fila seleccionada se ajustará al contenido más alto, reduciéndose o aumentándose.

Acceda al cuadro **Ancho de columna** desde el botón Formato para dar una anchura específica a la columna que tenga seleccionada.

	PUNTOS	1 Partida	2 Partida	3 Partida	Tot
2	Álvarez	60	10	35	
3	Pérez	35	50	45	
4	Bonito	30	35	40	
5	Flores	40	30	10	
6	Vera	35	35	35	
7	Balaguer	35	45	30	
8	Asensi	20	15	35	
9	Nerín	10	35	50	

Puede modificar la altura predeterminada de una fila **manualmente** arrastrando su borde inferior.

Insertar filas, columnas y celdas

PARA AÑADIR UNA FILA, UNA COLUMNA O UNA CELDA intermedia debemos utilizar el comando Insertar del grupo de herramientas Celdas, en la ficha Inicio, o bien el menú contextual de cada uno de estos elementos. El número de columnas o filas insertadas de una vez será el mismo que el número de seleccionadas antes de utilizar la función.

1. Para ejercitar la inserción de filas, columnas y celdas seguiremos trabajando con el libro **Puntos.xlsx**. Seleccione la celda **A1** de su hoja y haga clic en el botón de punta de flecha del comando **Insertar**, en el grupo de herramientas **Celdas** de la ficha **Inicio**. 🔲

2. Como ve, desde este comando podemos insertar celdas, columnas, filas e incluso hojas. Haga clic sobre la opción **Insertar columnas de hojas**. 🔲

3. Una columna se inserta a la izquierda de la seleccionada a la vez que aparece la etiqueta inteligente **Opciones de inserción**. A continuación, haga clic sobre el número **6** en la cabecera de las filas para seleccionar toda esa fila. 🔲

4. En este caso, la opción de insertar una columna sería imposible, ya que todas las columnas de esta fila están seleccionadas y no es posible aumentar el número total de las mismas. Haga

En el botón **Insertar** del grupo de herramientas Celdas se encuentran las opciones necesarias para insertar celdas, filas, columnas y hojas.

	A	B	C	D
1		PUNTOS	1 Partida	2 Parti
2		arez	60	
3		Pérez	35	
4		Bonito	30	
5		Flores	40	
6		Vera	35	
7		Balaguer	35	
8		Asensi	20	
9		Nerín	10	
10				
11				

Si desea insertar **varias filas o columnas de una sola vez**, seleccione en la hoja varios de esos elementos antes de proceder. El programa inserta tantas filas o columnas como se encuentren seleccionadas.

clic de nuevo en el botón de punta de flecha de la herramienta **Insertar** y pulse sobre la opción **Insertar filas de hoja**. 🖲️

5. Finalmente, seleccionaremos las filas 2, 3 y 4. Haga clic sobre la cabecera de la segunda fila, pulse la tecla **Mayúsculas** y, sin soltarla, haga clic sobre la cabecera de la fila **4**.

6. Haga clic con el botón derecho del ratón sobre la cabecera de la fila 2 y, en el menú contextual que aparece, pulse sobre la opción **Insertar**. 🖲️

7. Se añaden así tres nuevas filas 🖲️ que, según la opción seleccionada en las opciones de inserción, adquieren el formato de la fila superior a la primera de las seleccionadas. Haga clic en la celda **A1** para eliminar la selección.

8. Ahora veremos el modo de insertar celdas sueltas en puntos intermedios de la tabla. Seleccione, por ejemplo, la celda **B11**.

9. Haga clic de nuevo sobre el botón de punta de flecha de la herramienta **Insertar** y pulse sobre la opción **Insertar celdas**.

10. Al insertar una celda sola, el programa no puede decidir sin nuestra ayuda si la celda se inserta como parte de una fila o de una columna. Desde el cuadro **Insertar** podemos elegir entre desplazar las celdas hacia la derecha o hacia abajo y también insertar toda una fila o toda una columna. Mantenga seleccionada la opción **Desplazar las celdas hacia abajo** 🖲️ y pulse **Aceptar**.

11. Deshaga la última acción pulsando el icono **Deshacer** de **Barra de herramientas de acceso rápido** y guarde el archivo.

Al insertar una celda, el cuadro de diálogo **Insertar celdas** nos permite escoger el lugar en el que se insertará.

Seleccione varias filas de su hoja y utilice la opción **Insertar filas de hoja** para agregar el mismo número.

Se insertan tres filas vacías sobre la primera fila que habíamos seleccionado.

Trabajar con las opciones de inserción

IMPORTANTE

Si no desea que aparezca la etiqueta inteligente Opciones de inserción, desactive la opción **Mostrar botones de opciones de inserción** en la categoría Avanzadas del cuadro de opciones de Excel.

☑ Mostrar botón Opciones de pegado al pega
☑ Mostrar botones de opciones de inserción
☑ Cortar, copiar y ordenar objetos junto con c

LAS OPCIONES DE INSERCIÓN aparecen en pantalla a través de un icono que forma parte de las ya conocidas etiquetas inteligentes. La etiqueta Opciones de inserción aparece en pantalla mostrando distintas opciones, dependiendo de si se trata de una columna o bien de una fila o una celda lo que se va a insertar.

1. En el archivo **Puntos.xlsx** seleccione la celda A6. Haga clic en el botón de punta de flecha de la herramienta **Insertar** del grupo **Celdas** y pulse en la opción **Insertar filas de hojas**. [1]

2. De forma automática aparece una fila insertada sobre la seleccionada y el icono de la etiqueta **Opciones de inserción**. Pulse sobre él. [2]

3. En este caso, imagine que desea que el formato de la nueva fila sea igual al de la fila situada bajo la misma. Haga clic sobre el botón de opción correspondiente a **El mismo formato de abajo**. [3]

4. De este modo, la fila insertada adoptará las mismas características y tamaño que la fila inferior. Ahora realizaremos la inserción de una nueva columna. Seleccione la columna **C** entera pulsando sobre la letra situada en su cabecera.

5. Pulse en el botón de flecha del comando **Insertar** y seleccione la opción **Insertar columnas de hojas**.

Si una celda, una columna o una fila tienen un formato personalizado diferente del predeterminado, puede utilizar la etiqueta inteligente **Opciones de inserción** para copiarlo en nuevas celdas, filas o columnas insertadas.

En el caso de la inserción de filas de hoja con formato, la etiqueta **Opciones de inserción** ofrece la posibilidad de aplicarles el mismo formato que la fila de arriba o que la fila de abajo o bien aplicarle el formato predeterminado.

6. Aparece una nueva columna tomando como modelo el formato de la situada a la izquierda de la columna seleccionada. En este caso, decidimos que nos interesa adoptar el tamaño de la columna situada a la derecha incluyendo las opciones de formato establecidas en ella. Haga clic sobre el icono **Opciones de inserción** y seleccione la opción **El mismo formato de la derecha**.

7. Observe que las características de la nueva columna son las mismas que las de la columna situada a su derecha. Compruebe ahora si los datos de la nueva columna también adoptan el mismo formato. Haga clic sobre la celda **C2**, escriba el valor **10** y haga clic en la celda **A1** para comprobar el resultado.

8. Como ve, el dato introducido se ha alineado a la derecha. Por último, insertaremos una nueva celda. Haga clic sobre la celda **B10**, pulse en el botón de flecha del comando **Insertar** y seleccione la opción **Insertar celdas**.

9. Pulse el botón **Aceptar** del cuadro **Insertar celdas**. 🔳

10. Pulse sobre el icono de las **Opciones de inserción** y seleccione **Borrar formato**. 🔳

La celda se inserta sin ningún formato establecido. La etiqueta **Opciones de inserción**, por tanto, nos da la oportunidad de copiar el formato que más nos interese o limitarnos a insertar un elemento con las características preestablecidas por el programa.

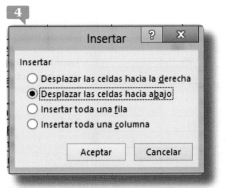

En el cuadro **Insertar** debemos indicar cómo se desplazarán las celdas al insertar una nueva o si queremos insertar toda una fila o toda una columna.

Para que al insertar filas, columnas o celdas no se aplique ningún formato específico, sino el predeterminado por Excel, debe seleccionar la opción **Borrar formato** de la etiqueta inteligente de opciones de inserción.

Eliminar filas, columnas y celdas

IMPORTANTE

Recuerde que para seleccionar varias filas o varias columnas a la vez debe pulsar sobre la primera y la última mientras mantiene pulsada la tecla **Mayúsculas**.

UNA FILA, UNA COLUMNA o una celda de una hoja de cálculo puede ser eliminada, tanto si está vacía como si tiene contenido. Esta operación se realiza desde el comando Eliminar del grupo de herramientas Celdas de la ficha Inicio, previa selección del elemento que se va a eliminar. Del mismo modo, es posible eliminar más de uno de estos elementos a la vez seleccionándolos previamente a la vez.

1. Veremos a continuación que el proceso de eliminación de filas, columnas y celdas es similar al de inserción. Seguiremos trabajando con el libro **Puntos.xlsx**. Haga clic sobre la cabecera de la columna C para seleccionarla entera.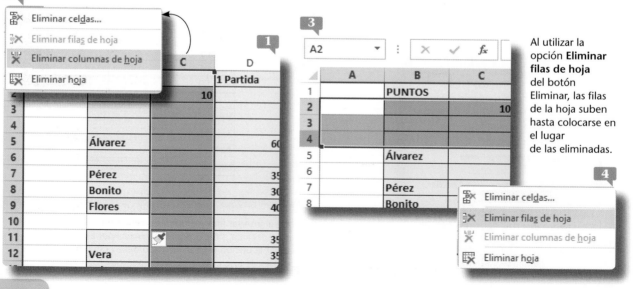

2. Despliegue el comando **Eliminar**, en el grupo de herramientas **Celdas** de la ficha **Inicio**, y elija la opción **Eliminar columnas de hoja**.

3. La columna **D** se ha desplazado hacia la izquierda tomando el nombre y el puesto de la eliminada. Puesto que no nos interesa que la columna desaparezca definitivamente deshaga esta última acción pulsando la combinación de teclas **Ctrl+Z**.

4. A continuación, seleccione la fila **2**, pulse la tecla **Mayúsculas** y, sin liberarla, haga clic sobre la cabecera de la fila 4.

Seleccione una columna entera de su libro y elimínela usando la opción adecuada del botón **Eliminar** del grupo de herramientas Celdas de la ficha Inicio.

Al utilizar la opción **Eliminar filas de hoja** del botón Eliminar, las filas de la hoja suben hasta colocarse en el lugar de las eliminadas.

019

5. Despliegue de nuevo el comando **Eliminar**, en el grupo **Celdas**, y pulse sobre la opción **Eliminar filas de hoja**.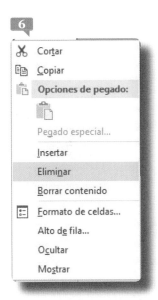

6. Las filas inferiores suben hasta situarse en el lugar de las eliminadas. Ahora veremos cómo eliminar una celda. Seleccione la celda **B7**, que hemos insertado en un ejercicio anterior y ahora está vacía.

7. Pulse de nuevo sobre la punta de flecha del botón **Eliminar** y seleccione la opción **Eliminar celdas**.

8. Aparece el cuadro de diálogo **Eliminar celdas**, en el que debemos indicar si, tras la eliminación, las celdas se desplazarán hacia la izquierda o hacia arriba, o si queremos eliminar toda la fila o toda la columna en la que se encuentra la celda seleccionada. Active la opción **Desplazar las celdas hacia arriba** y pulse **Aceptar**.

9. También es posible eliminar filas, columnas y celdas usando la opción adecuada de su menú contextual. Haga clic en la cabecera de la fila **3** para seleccionarla entera.

10. Pulse con el botón derecho del ratón sobre dicha cabecera y, del menú contextual que aparece, elija la opción **Eliminar**.

11. Elimine todas las filas, columnas y celdas vacías que haya insertado dentro de la tabla y pulse el comando **Guardar** de la **Barra de herramientas de acceso rápido**.

Al eliminar una celda aparece el cuadro **Eliminar celdas**, donde podemos elegir hacia donde se desplazarán las celdas o si queremos eliminar toda la fila o toda la columna.

Al igual que para insertar filas, columnas y celdas, también puede eliminarlas usando la opción **Eliminar** de su menú contextual.

Compruebe que la tabla de su documento tiene el mismo aspecto que la de la imagen y que ha eliminado las filas, celdas y columnas que había insertado dentro de la tabla.

PUNTOS		1 Partida	2 Partida	3 Partida	Total
Álvarez		60	10	35	105
Pérez		35	50	45	130
Bonito		30	35	40	105
Flores		40	30	10	80
Vera		35	35	35	105
Balaguer		35	45	30	110
Asensi		20	15	35	70
Nerín		10	35	50	95

Ocultar columnas, filas y hojas

EN EL COMANDO FORMATO del grupo de herramientas Celdas se encuentra la función Ocultar y mostrar, que incluye las opciones adecuadas para ocultar temporalmente columnas, filas y hojas. Ocultar estos elementos no implica que su contenido se borre o desaparezca de la hoja, sino que sencillamente no se muestra.

1. En este ejercicio practicaremos con la función de ocultación de filas, columnas y hojas. Seguiremos trabajando sobre el libro **Puntos**. Imagine, que quiere ocultar temporalmente una de las hojas de su libro. Sitúese en ella, haga clic en el botón de punta de flecha de la herramienta **Formato**, en el grupo **Celdas**, y coloque el ratón sobre la opción **Ocultar o mostrar**.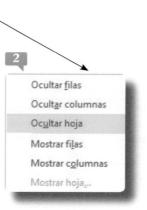

2. Como ve, esta opción nos permite ocultar filas, columnas y hojas y después volverlas a mostrar. En el submenú que aparece en pantalla, pulse sobre la opción **Ocultar hoja**. 🔲2

3. La hoja elegida se ha ocultado, pero no ha sido eliminada. Para volver a mostrarla podemos utilizar la opción adecuada del comando **Ocultar o mostrar** de la herramienta **Formato** o bien la opción **Mostrar** del menú contextual de las etiquetas de las hojas. Haga clic con el botón derecho del ratón sobre la etiqueta de una de las hojas y, del menú contextual que aparece, seleccione la opción **Mostrar**. 🔲3

4. Se abre el cuadro **Mostrar**, en el que debemos seleccionar la hoja que queremos volver a mostrar. En este caso, como sólo

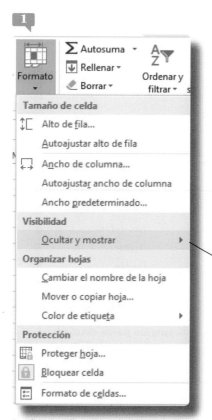

En el apartado **Visibilidad** del menú del botón Formato se encuentran las opciones para ocultar y mostrar filas, columnas y hojas de un libro.

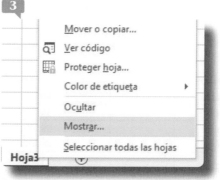

Para mostrar una hoja oculta, use la opción **Mostrar** del menú contextual de las etiquetas de hojas.

hemos ocultado una hoja, manténgala seleccionada en el cuadro de diálogo y pulse el botón **Aceptar**. [4]

5. El proceso que debe seguir para ocultar filas y columnas es idéntico. Seleccione, por ejemplo, la columna **C** de su hoja pulsando en su cabecera.

6. Pulse en el botón **Formato**, haga clic en la opción **Ocultar y mostrar** y elija esta vez el comando **Ocultar columnas**. [5]

7. La celda **C1** permanece seleccionada, como puede ver en el cuadro de nombres. Seleccione la columna **B** pulsando sobre su cabecera y, con la tecla **Mayúsculas** presionada, pulse sobre la cabecera de la columna **D**.

8. Pulse nuevamente en el botón **Formato**, haga clic en el comando **Ocultar y mostrar** y elija la opción **Mostrar columnas**. [6]

9. La columna **C** vuelve a hacerse visible. Ahora realizaremos el mismo proceso con una fila pero usando esta vez su menú contextual. Seleccione la fila **6** pulsando en su cabecera, haga clic sobre ella con el botón derecho del ratón y elija la opción **Ocultar**.

10. Para acabar el ejercicio, volveremos a mostrar la fila oculta. Seleccione la anterior y la posterior, esto es, la 5 y la 7, y una vez seleccionadas haga clic con el botón derecho y pulse sobre la opción **Mostrar**.

Cuando se intenta mostrar una hoja oculta, se abre el cuadro de diálogo **Mostrar**, donde hay que indicar qué hoja es la que se desea mostrar.

Para mostrar filas o columnas ocultas hay que seleccionar previamente las que se encuentran antes y después para a continuación usar la opción **Mostrar fila** o **Mostrar columna**.

Ocultar celdas y ventanas

UNA CELDA OCULTA no deja de visualizarse en el área de trabajo ni tampoco desaparece de la hoja al imprimirla. Este atributo afecta sólo a la visualización del contenido de la celda en la barra de fórmulas. La función Ocultar ventana tiene sentido sólo cuando existen diferentes ventanas abiertas de un mismo libro.

1. Para realizar los ejercicios de esta lección debe disponer de dos libros abiertos. Puede usar el libro **Puntos** y el libro **Lista de la compra**, que hemos generado a partir de la plantilla del mismo nombre. Vamos a empezar ocultando una celda del primero. Seleccione una con contenido, pulse el botón **Formato** del grupo **Celdas**, y haga clic en la opción **Formato de celdas**. 📮

2. Sitúese en la ficha **Proteger** del cuadro de diálogo que aparece, active la casilla de verificación **Oculta** y pulse **Aceptar**. 📮

3. Aparentemente, la función no tiene ningún efecto sobre la celda, cuyo contenido es visible tanto en la hoja como en la **Barra de fórmulas**. Pulse nuevamente el botón **Formato** y haga clic en la opción **Proteger hoja**. 📮

4. Sin necesidad de establecer una contraseña, pulse el botón **Aceptar** del cuadro **Proteger hoja**.

5. La celda no desaparece, pero su contenido ahora no es visible en la Barra de fórmulas. Pulse nuevamente en el botón **Forma-**

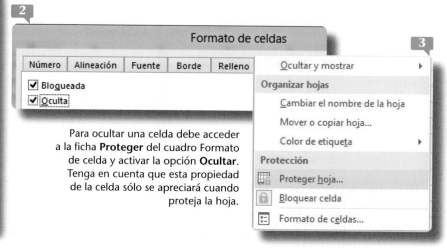

Para ocultar una celda debe acceder a la ficha **Proteger** del cuadro Formato de celda y activar la opción **Ocultar**. Tenga en cuenta que esta propiedad de la celda sólo se apreciará cuando proteja la hoja.

021

to y observará que la opción **Formato de celdas** no está activa mientras la hoja permanece protegida.

6. A continuación, veremos cómo ocultar ventanas abiertas. Sitúese en la ficha **Vista** de la **Cinta de opciones**.

7. Recuerde que para poder llevar a cabo este paso deberá disponer de más de un libro abierto. Para ocultar la ventana activa en estos momentos, pulse el botón **Ocultar** 🔲 del grupo **Ventana**.

8. Automáticamente se oculta la ventana activa y pasa a mostrarse la del segundo libro abierto. Para volver a mostrar la ventana oculta, active la ficha **Vista** y pulse el botón **Mostrar** del grupo **Ventana**. 🔲

9. Aparece el cuadro de diálogo **Mostrar** 🔲, en el que debemos indicar el libro o la ventana de libro que queremos volver a mostrar. Hágalo y pulse el botón **Aceptar**.

10. Finalmente, veremos cómo se pueden visualizar a la vez varias ventanas abiertas. Pulse en el botón **Organizar todo** del grupo **Ventana**.

11. El cuadro **Organizar ventanas** muestra los diferentes métodos de organización que ofrece Excel 2013. Active, por ejemplo, la opción **Horizontal** y haga clic en **Aceptar**. 🔲

12. Pruebe con los otros métodos de organización de ventanas y acabe el ejercicio maximizando una de ellas para que se muestre en primer plano.

En el cuadro **Organizar ventanas** puede elegir entre las cuatro opciones de distribución de ventanas que ofrece Excel 2013. Compruebe cómo actúa cada una de ellas.

Para ocultar una ventana utilice el botón **Ocultar** del grupo de herramientas **Ventana** de la ficha **Vista**.

El botón **Mostrar** abre un cuadro del mismo nombre, donde hay que seleccionar el libro o la ventana que se desea mostrar.

Copiar, cortar y pegar

EL MODO MÁS FÁCIL DE COPIAR una celda en otra contigua consiste en arrastrarla por su ángulo inferior derecho hasta la celda de destino. Cuando la copia tiene como destino una celda situada en otro punto de la hoja, en otra hoja del libro o incluso en otro libro, hay que utilizar los comandos Copiar, Cortar y Pegar. Al pulsar uno de los dos primeros, la celda o rango seleccionado queda rodeada por una línea de puntos intermitente que indica que su contenido se halla en el portapapeles. La celda podrá ser copiada repetidamente pulsando el botón Pegar, hasta que se borre del portapapeles.

1. Dedicaremos este ejercicio a conocer en profundidad las herramientas de corte, copia y pegado. Antes de empezar, desproteja si es necesario la hoja del libro **Puntos** con la que va a trabajar. Después, seleccione la celda **C5**.

2. Los comandos de copia, corte y pegado se encuentran en el grupo de herramientas **Portapapeles** de la ficha **Inicio**. Active esa ficha y pulse sobre el comando **Copiar**, que muestra dos hojas. **1**

3. El marco discontinuo indica que el contenido de la celda se halla en el Portapapeles. **2** Al mismo tiempo, se ha activado la herramienta **Pegar**. Seleccione una celda libre como celda de destino y pulse en dicha herramienta del grupo **Portapapeles**. **3**

	A	B	C	D
1	PUNTOS		1 Partida	2 Partida
2	Álvarez		60	10
3	Pérez		35	50
4	Bonito		30	35
5	Flores		40	30
6	Vera		35	35
7	Balaguer		35	45

Al copiar una celda, su borde parpadea para indicar que su contenido se encuentra en el Portapapeles.

Para pegar el contenido del Portapapeles en otra celda, pulse el botón **Pegar** de ese grupo.

022

4. Al utilizar la herramienta **Pegar** y según lo establecido en el cuadro de opciones de Excel, aparece la etiqueta inteligente **Opciones de pegado**, con la que practicaremos en el siguiente ejercicio. Seleccione otra celda libre y pulse nuevamente el botón **Pegar**.

5. La operación de pegado puede repetirse indefinidamente mientras la celda copiada permanezca en el portapapeles. Para borrar el contenido del portapapeles, pulse la tecla **Escape**.

6. Observe que la celda copiada ya no muestra el borde centelleante y que la herramienta de pegado no está activa. Ahora veremos cuál es la diferencia entre copiar y cortar. Seleccione un rango de celdas con contenido con ayuda de la tecla **Mayúsculas**. 🔲4

7. Pulse el botón **Cortar** identificado por unas tijeras en el grupo **Portapapeles** de la ficha **Inicio** 🔲5, seleccione una celda vacía como destino y pulse el botón **Pegar**.

8. Como ve, la herramienta **Cortar** elimina el contenido de las celdas seleccionadas para mostrarlo en las celdas donde se pega. Por último, vamos a ver qué opciones incluye el comando **Pegar**. Seleccione otra celda con contenido y pulse el icono **Copiar**.

9. Seleccione una celda de destino y pulse sobre la flecha situada bajo el icono **Pegar**.

10. En función del contenido copiado, Excel permite escoger entre pegar una fórmula, sólo el valor que contiene la celda, etc. Si la celda que ha copiado contiene una fórmula, pulse sobre la opción **Fórmulas**, si no, pulse en **Pegar**. 🔲6

11. Pulse de nuevo la tecla **Escape** para vaciar el Portapapeles y acabe el ejercicio guardando los cambios realizados en la hoja.

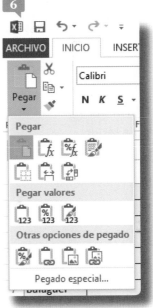

Para conocer el significado los iconos de las opciones del comando **Pegar**, ponga el ratón sobre uno de ellos y, sin hacer clic, le aparecerá una etiqueta emergente con el nombre de la opción.

	A	B	C	
1	PUNTOS		1 Partida	2
2	Álvarez		60	
3	Pérez		35	
4	Bonito		30	
5	Flores		40	
6	Vera		35	

También puede copiar o cortar y pegar un rango de celdas. Recuerde que para seleccionar un rango debe utilizar la tecla **Mayúsculas**.

El icono **Cortar** muestra la imagen de unas tijeras en el grupo Portapapeles.

Trabajar con las opciones de pegado

OPCIONES DE PEGADO ES EL NOMBRE que recibe la etiqueta inteligente que aparece junto a las celdas o rangos de celdas que acaban de ser pegados. Esta etiqueta, al igual que el resto de etiquetas inteligentes de Excel, tiene como objetivo facilitar el trabajo al usuario presentándole diversas opciones entre las que puede escoger de qué manera desea pegar los datos copiados o cortados.

1. Para empezar, seleccione una celda con contenido formateado de su hoja, por ejemplo la celda **PUNTOS** del libro del mismo nombre, y pulse en el icono **Copiar** del grupo de herramientas **Portapapeles**.

2. Elija ahora la celda de destino y pulse sobre el icono **Pegar** del mismo grupo de herramientas. 🗨1

3. Observará que ha aparecido la etiqueta inteligente **Opciones de pegado**. Pulse sobre ella para desplegar todas las opciones que presenta.

4. La opción seleccionada en este momento, **Pegar,** copia en la celda de destino tanto el formato original como su contenido. Pulse sobre el botón **Formato**, el primero del grupo **Otras opciones de pegado**. 🗨2

5. La celda de destino aparece vacía ya que de la celda de origen sólo hemos pegado el formato. Para comprobar el resultado, inserte directamente las letras **abc** y pulse la tecla **Retorno**.

Para comprobar la utilidad de las opciones incluidas en la etiqueta inteligente **Opciones de pegado** copie y pegue celdas con formato, con fórmulas, etc.

1

	A	B	C	D
1	PUNTOS		1 Partida	2 Partida
2	Álvarez			10
3	Pérez			50

2

La opción **Formato** en la celda de destino aplica únicamente el formato de la celda de origen, no su contenido.

023

6. Efectivamente, la celda de destino ha adquirido las mismas características de formato que la de origen. Ahora, vamos a practicar con otra de las opciones que presenta la etiqueta inteligente. Seleccione una celda que contenga una fórmula, cualquiera de la columna **Total**, y pulse el botón **Copiar**. [3]

7. Ahora seleccione la celda de destino y pulse en el icono **Pegar**.

8. Haga clic sobre la etiqueta inteligente para desplegar todas sus opciones y seleccione, si es necesario, el segundo icono de la segunda fila del grupo **Pegar**, correspondiente a la opción **Mantener ancho de columna de origen**. [4]

9. La celda de destino ajusta el ancho de su columna para obtener las mismas dimensiones que la columna en la que se encuentra la celda de origen. Por último, despliegue nuevamente el menú de opciones de pegado y seleccione la opción **Valores**, la primera del grupo **Pegar valores**. [5]

10. Ahora la celda de destino presenta el mismo valor que la de origen pero no el mismo contenido. Es decir, que su contenido no es fruto de una fórmula, como sucede en la celda de origen, sino que simplemente es un valor numérico tal y como puede verse en la Barra de fórmulas. Para acabar, pulse la tecla **Escape** para que desaparezca la etiqueta inteligente y guarde los cambios realizados pulsando el icono **Guardar** de la **Barra de herramientas de acceso rápido**.

La opción **Mantener ancho de columnas de origen** aplica el ancho de la columna en que se encuentra la celda de origen a la columna en que se encuentra la de destino.

3

▲	A	B	C	D	E	F
1	PUNTOS		1 Partida	2 Partida	3 Partida	Total
2	Álvarez			10	35	45
3	Pérez			50	45	95

F2 = =SUMA(C2:E2)

Si selecciona y copia una celda que contiene una fórmula puede pegar en la celda de destino **toda la fórmula** (que se ajustará al lugar en que se encuentre), o **sólo el valor** que contenga.

Buscar y reemplazar datos

UNA FORMA RÁPIDA DE MODIFICAR los datos consiste en utilizar la función Buscar y su auxiliar Reemplazar. Estas funciones son especialmente útiles en hojas de cálculo muy extensas con un gran número de filas o columnas y comparten espacio en el cuadro de diálogo Buscar y reemplazar.

1. En este ejercicio aprenderá el procedimiento que debe seguir para buscar y reemplazar datos en un documento. Para ello, supondremos que disponemos de un libro con muchos valores. Para empezar, haga clic en el comando **Buscar y seleccionar** del grupo de herramientas **Modificar** de la ficha **Inicio** y pulse en la opción **Buscar**. 🔲

2. Se abre el cuadro de diálogo **Buscar y reemplazar** con la ficha **Buscar** activa. Suponga que quiere localizar todas las celdas que contengan una puntuación de 35, por ejemplo. Escriba ese número en el campo **Buscar** y pulse el botón **Buscar siguiente**. 🔲

3. Automáticamente se selecciona la primera celda de la hoja cuyo contenido coincide con el indicado. Siga pulsando el botón **Buscar siguiente** para desplazarse a las siguientes coincidencias.

4. Para que se muestren en el cuadro todos los resultados de la búsqueda, pulse el botón **Buscar todos**. Después, ciérrelo pulsando el botón **Cerrar**.

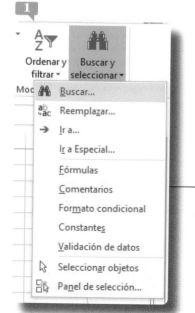

La opción Buscar de la herramienta **Buscar y seleccionar** da paso al cuadro de diálogo **Buscar y reemplazar** que nos permite realizar búsquedas y reemplazos masivos.

024

5. Suponga ahora que debe reemplazar una cadena por otra. Para no tener que hacerlo manualmente, puede utilizar la función **Reemplazar**. Pulse de nuevo en el botón **Buscar y seleccionar** y haga clic en **Reemplazar**.

6. El programa recuerda la última búsqueda efectuada. Imagine que tiene que cambiar ese valor todas las veces que aparece por el valor 25. Pulse en el campo **Reemplazar con**, escriba el valor **25** y haga clic en **Reemplazar**. **3**

7. De este modo el primer valor 35 se sustituye por el valor 25. Para sustituir todos los registros de forma automática, pulse el botón **Reemplazar todos**.

8. Podrá comprobar que todos los valores han sido sustituidos. **4** Cuando acaba el proceso, Excel lanza este cuadro informativo. Ciérrelo pulsando el botón **Aceptar**. **5**

9. Antes de cerrar el cuadro **Buscar y reemplazar** y dar por acabado este ejercicio, veamos las opciones avanzadas de búsqueda que nos ofrece Excel. Pulse el botón **Opciones**.

10. Además de poder determinar el formato de las celdas de búsqueda y reemplazado, es posible especificar la hoja donde se debe buscar o bien activar la opción **Libro**, en el campo **Dentro de**, para buscar en todas sus hojas. Además, es posible buscar por filas o por columnas y especificar si se desea buscar el valor de las celdas o sus fórmulas subyacentes. **6** Oculte las opciones de búsqueda avanzadas pulsando en el botón **Opciones** y cierre el cuadro **Buscar y reemplazar** pulsando el botón **Cerrar**.

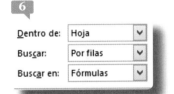

6

Dentro de:	Hoja ∨
Buscar:	Por filas ∨
Buscar en:	Fórmulas ∨

Puede especificar diferentes opciones de búsqueda en el cuadro **Buscar y reemplazar** pulsando en el botón **Opciones**.

3

Buscar y reemplazar

Buscar | Reemplazar

Buscar: 35

Reemplazar con: 25

Opciones >

Reemplazar todos | Reemplazar | Buscar todos | Buscar siguiente | Cerrar

5

Microsoft Excel

Ya está. Hemos hecho 8 reemplazos.

Aceptar

La opción **Reemplazar** del comando **Buscar y seleccionar** abre el cuadro **Buscar y reemplazar** con la ficha **Reemplazar** activa.

5

		10	25	35
		50	45	95
		25	40	65
	40	30	10	80
	25	25	25	75

Todos los valores 35 se habrán reemplazado por el valor 25.

Conocer los tipos de datos

LOS DATOS QUE PUEDEN INTRODUCIRSE en una celda de Excel pueden ser fórmulas o de tipo valor fijo. Los valores fijos se dividen a su vez en tipo texto, numéricos o de fecha. Cualquier dato precedido de un apóstrofo es considerado como un texto, ya sea un valor numérico o una formulación matemática.

1. En este ejercicio conoceremos los diferentes tipos de datos que se pueden introducir en las celdas de Excel. Para empezar, active la hoja 2 del libro **Puntos**, seleccione la celda **B5**, escriba, por ejemplo, la palabra **casa** y pulse la tecla **Retorno**.

2. Por defecto, la cadena de texto se alinea por la izquierda. **1** Ahora inserte la cifra **15** en la celda **B6** y presione la tecla **Retorno**.

3. La cadena numérica se alinea por la derecha. **2** Desplácese una celda hacia arriba pulsando en la **tecla de dirección hacia arriba**.

4. Ahora vamos a editar de nuevo la celda **B6**. En la **Barra de fórmulas**, haga clic justo delante del número **15**, pulse la tecla apóstrofo y, después, la tecla **Retorno**. **3**

5. El dato se considera ahora texto y no pueden establecerse cálculos numéricos con él. Observe que en la esquina superior

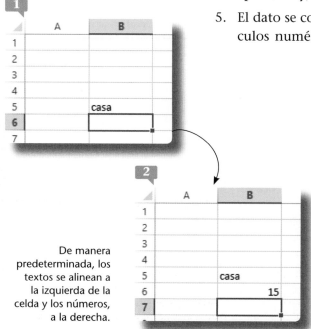

De manera predeterminada, los textos se alinean a la izquierda de la celda y los números, a la derecha.

Un apóstrofo delante de cualquier valor numérico lo convierte en un valor de texto, por lo que no podrán realizarse operaciones matemáticas con él.

62

025

izquierda de la celda destaca un triángulo de color verde. Si selecciona dicha celda de nuevo, emergerá una etiqueta con un símbolo de exclamación: es la etiqueta encargada de la comprobación de errores en los datos introducidos en las celdas. Seleccione la celda **B6**, sitúe el cursor sobre la etiqueta de comprobación de errores, lea el mensaje y haga clic sobre su icono para comprobar todas las opciones que presenta.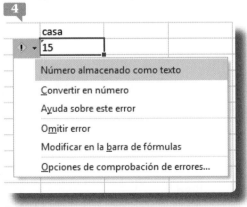

6. Vuelva a pulsar sobre la etiqueta para cerrar el menú abierto.

7. Veamos a continuación cómo actúa el programa en referencia a los datos de tipo fecha. Seleccione la celda **B7**, introduzca la cifra **25** y pulse el botón **Introducir**.

8. Haga clic en el botón **Formato** del grupo de herramientas **Celdas**, en la ficha **Inicio** de la **Cinta de opciones**.

9. Como ya sabe, el menú contenido en este comando nos permite modificar el tamaño de las celdas, ocultarlas y volverlas a mostrar, organizar las hojas y establecer opciones de protección de éstas. Pulse sobre la opción **Formato de celdas**.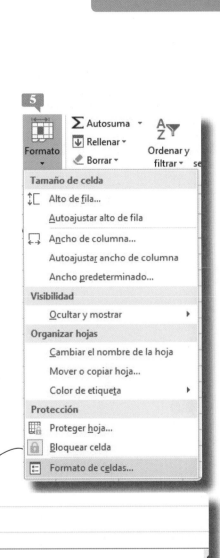

10. La ventana **Formato de celdas** se abre mostrando activa la última ficha con la que haya trabajado. Pulse en la ficha **Número**, seleccione **Fecha** en la lista de categorías, elija después uno de los formatos disponibles y pulse **Aceptar**.

Como puede ver, también las fechas se alinean por defecto a la derecha de la celda, como si de un valor numérico se tratara.

Cuando el número de una celda tiene formato de texto o está precedido por un apóstrofo aparece una etiqueta que incluye un menú de opciones entre las que se encuentran las que permiten convertirlo en número definitivamente u omitir ese error.

La opción **Formato de celdas** da paso al cuadro de diálogo del mismo nombre, desde el que es posible, entre otras opciones, modificar el tipo de dato que se ha introducido en una celda.

Editar y borrar datos

SI SE SELECCIONA UNA CELDA CON DATOS y se escribe nuevamente desde el teclado, los nuevos datos se superponen a los anteriores sustituyéndolos completamente. Para añadir texto a una celda que ya contiene datos de este tipo sin eliminar los existentes, hay que editarla.

1. Aunque en lecciones anteriores ya hemos aprendido a introducir datos, seguiremos practicando con esta acción en este ejercicio. Seleccione la celda **B5** pulsando sobre ella.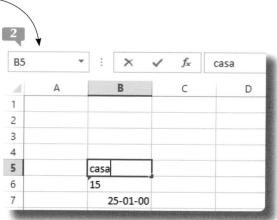

2. Si en estos momentos introdujéramos nuevo texto desde el teclado, éste sustituiría completamente al ya existente. Para efectuar modificaciones sobre el contenido sin eliminarlo, hay que abrir o editar la celda. Haga doble clic en la celda, al final de la palabra escrita en ella.

3. El cursor de texto se sitúa en el punto donde se ha pulsado. En estos momentos, la celda se comporta como un cuadro de texto y podemos desplazarnos con las flechas habituales del teclado o eliminar letras con la tecla **Suprimir**. Pulse la **barra**

Como ya sabe, para seleccionar una celda, basta con pulsar sobre ella. Para ponerla en modo de edición, es decir, para poder modificar su contenido, haga doble clic sobre ella.

La aparición de los iconos de introducción y cancelación en la Barra de fórmulas indica que la celda seleccionada se encuentra en modo de edición.

espaciadora, introduzca la palabra **nueva** y pulse la tecla **Retorno** para hacer efectiva la introducción. [3]

4. Nuevamente, sitúese en la celda **B5** pulsando sobre ella.

5. La tecla **F2** edita también la celda y sitúa el cursor de texto al final del mismo. De todas maneras, cuando la **Barra de fórmulas** está visible, como es el caso, la mejor forma de editar la celda es situar el cursor en el punto exacto de la misma. Haga clic delante de la palabra **nueva** en la **Barra de fórmulas**.

6. Suprima la palabra **nueva**, escriba por ejemplo **vieja** y pulse la tecla **Retorno**. [4]

7. Para acabar, veremos otro modo de eliminar el contenido de una celda. Haga clic con el botón derecho del ratón sobre la celda **B7**.

8. Del menú contextual que se despliega, elija con un clic la opción **Borrar contenido** [5] y compruebe cómo automáticamente desaparece el valor que contenía la celda seleccionada.

[3]

Al editar una celda, puede confirmar la introducción de datos pulsando la tecla **Retorno**, en cuyo caso se seleccionará la celda inmediatamente inferior según las propiedades predeterminadas del programa, o bien pulsando el icono **Introducir** de la Barra de fórmulas, en cuyo caso ese mantendrá seleccionada la celda en edición.

[4]

[5]

La opción **Borrar contenido** del menú contextual de una celda elimina todo su contenido.

Introducir y editar fórmulas

LAS FÓRMULAS SON LOS ELEMENTOS esenciales de una hoja de cálculo. Introduciéndolas en las celdas, convertimos la hoja en una calculadora que actualiza los resultados cada vez que se modifica una variable.

1. Desde Excel 2010, la escritura de fórmulas es más sencilla gracias a la Barra de fórmulas redimensionable y a la función **Autocompletar**. Seleccione la celda **C8**, introduzca la fórmula **=5+6** 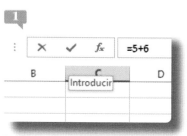 desde su teclado y pulse el botón **Introducir**.

2. El programa muestra en la celda el resultado de la operación, pero en la **Barra de fórmulas** podemos ver el contenido real de la celda C8. 🔲 Seleccione con un clic la celda **C10**.

3. En la celda seleccionada, introduciremos una fórmula referenciada a la celda C8. Haga clic en la **Barra de fórmulas** e introduzca desde su teclado la fórmula **=5+C8**.

4. Al escribir la referencia de la celda C8, Excel ha marcado de color azul sus bordes. 🔲 Pulse el botón **Introducir**.

5. El asterisco es el signo utilizado para expresar el producto y la barra inclinada se utiliza para la división. Seleccione la celda **C12** y escriba la fórmula **=C8*C10**. 🔲

6. Las dos celdas aquí referenciadas se marcan en color azul y verde respectivamente al ser introducidas en la fórmula. Pulse la tecla **Retorno** y seleccione de nuevo la celda **C12**.

Las fórmulas pueden introducirse directamente en la celda o bien en la Barra de fórmulas y siempre deben ir precedidas del signo = que las identifica como tales.

Cuando una celda contiene una fórmula, la Barra de fórmulas muestra dicha fórmula, mientras que en la celda aparece el resultado de la misma.

C8 ▼	⋮	×	✓	f_x	=5+6

	A	B	C
1			
2			
3			
4			
5		casa vieja	
6		15	
7			
8			11
9			
10			

SUMA ▼	⋮	×	✓	f_x	=5+C8

	A	B	C	D
1			Introducir	
2				
3				
4				
5		casa vieja		
6		15		
7				
8			11	
9				
10			=5+C8	

027

7. Como ve, la celda en cuestión muestra el resultado de la multiplicación mientras que la **Barra de fórmulas** muestra la fórmula introducida. En la celda A1 escriba la fórmula =**5+6**.

8. A continuación, seleccione la celda **A3** e introduzca la fórmula =**10+A1** y tras pulsar **Retorno** introduzca la fórmula =**A1*A3** en la celda **A4**, [5] y vuelva a pulsar la tecla **Retorno**.

9. Para clarificar el ejemplo, eliminaremos el contenido del rango de celdas B5 a C12. Seleccione ese rango con ayuda de la tecla **Mayúsculas** y pulse la tecla **Suprimir**.

10. Podemos proceder de diferentes modos para modificar las fórmulas. Haga doble clic sobre la celda **A1**, pulse la tecla **Retroceso** para borrar el número **6** y escriba el número **3**.

11. Pulse el botón **Introducir** y observe el cambio en todas las celdas que contienen fórmulas en las que interviene la **A1**. [6]

12. Veamos otro modo de modificar fórmulas. Seleccione la celda **A3** y haga clic en la **Barra de fórmulas** situando el cursor antes de la referencia de celda A1, elimine esa referencia pulsando dos veces la tecla **Suprimir y** seleccione la celda **A2**. [7]

13. Pulse la tecla **Retorno** para confirmar la modificación.

14. Dado que la celda A2 está vacía, el resultado de la función cambiará, ya que el valor numérico de una celda vacía equivale a **0**. Seleccione la celda **A3**, [8] pulse la tecla **Suprimir** para eliminar todo su contenido y guarde los cambios pulsando el icono **Guardar** de la **Barra de herramientas de acceso rápido**.

Cuando una fórmula hace referencia a varias celdas, cada una de ellas queda resaltada con un color de borde diferente.

Crear y utilizar listas

IMPORTANTE

Tenga en cuenta que las listas personalizadas predeterminadas no se pueden modificar y que las nuevas listas que cree **sólo pueden incluir texto o texto mezclado con números**.
Si necesita crear una lista personalizada con números, deberá crear primero una lista de números con formato de texto en su hoja y después importarla a su lista.

UNA LISTA ESTÁ FORMADA por una serie de palabras o cifras relacionadas entre sí y con un orden establecido entre ellas. Al introducir sólo una de estas palabras en una celda, Excel la reconoce como parte de una lista y es capaz de continuar rellenándolas. Las únicas listas que el programa incluye por defecto son las constituidas por los días de la semana y los meses del año.

1. En este ejercicio agregaremos una nueva lista personalizada a las ya existentes. Suponga que trabaja en un restaurante y que necesita confeccionar periódicamente la carta de su establecimiento. Haga clic en la pestaña **Archivo** y pulse sobre el comando **Opciones**. 🔲

2. Se abre el cuadro **Opciones de Excel**, donde podemos configurar todas las opciones y características del programa según nuestras preferencias. Active la categoría **Avanzadas**, pulse en la Barra de desplazamiento vertical y, en el apartado **General**, haga clic en el botón **Modificar listas personalizadas**. 🔲

3. En el cuadro **Listas personalizadas** puede añadir manualmente nuevas listas o importarlas desde una selección concreta de celdas. Dentro del cuadro **Entradas de lista**, escriba **Primeros, Segundos, Postres** (separados mediante comas) como componentes de la nueva lista y pulse el botón **Agregar**. 🔲

1

Cuenta

Opciones

2

General

☐ Informar mediante sonidos
☐ Omitir otras aplicaciones que usen Intercambio dinámico de datos (DDE)
☑ Consultar al actualizar vínculos automáticos
☐ Mostrar errores de interfaz de usuario en el complemento
☑ Ajustar el contenido al tamaño de papel A4 o 8,5 x 11 pda

Al inicio, abrir todos los archivos en: [   ]

[Opciones web...]

☑ Habilitar el procesamiento multiproceso

Cree listas para utilizar con criterios de ordenación y secuencias de relleno: [Modificar listas personalizadas...].

Datos

[Modificar listas personalizadas...]

3

Entradas de lista:

Primeros, Segundos, Postres		[Agregar]
		[Eliminar]

[   ] 🔢 [Importar]

Acceda al cuadro **Listas personalizadas** desde la ficha Avanzadas del cuadro de Opciones de Excel y cree y gestione sus propias listas.

028

4. La lista creada se añade al cuadro **Listas personalizadas**. También se puede crear una lista a partir de un rango de celdas existentes. En el mismo cuadro **Listas personalizadas**, pulse sobre el icono situado a la izquierda del botón **Importar**.

5. El cuadro de diálogo se ha reducido. Seleccione un rango de celdas con contenido (por ejemplo, la lista de nombres de la hoja 1 del libro **Puntos**) y cuando su nombre aparezca en el cuadro de diálogo reducido haga clic sobre el icono situado a la derecha de la caja de texto.

6. Pulse el botón **Importar** y podrá observar que se ha creado una nueva lista.

7. Ahora practicaremos con la lista **Primeros, Segundos, Postres**. Selecciónela en el cuadro **Listas personalizadas** y pulse el botón **Aceptar**.

8. En el cuadro **Opciones de Excel**, pulse el botón **Aceptar**.

9. Haga clic en la celda **A11**, escriba el elemento **Primeros** y confirme la entrada pulsando la tecla **Retorno**.

10. Seleccione con un clic la celda **A11**, haga clic en el cuadrado situado en su ángulo inferior derecho y, sin soltar el botón del ratón, arrastre hacia abajo, hasta que queden seleccionadas también las celdas **A12** y **A13**.

11. El programa ha rellenado las celdas seleccionadas con los siguientes elementos de la lista. Para finalizar, haga clic en una cualquier celda para desactivar la selección actual.

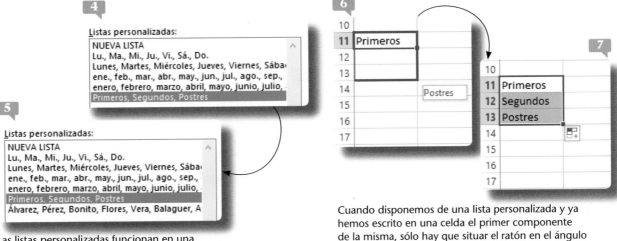

Las listas personalizadas funcionan en una hoja de Excel aunque no estén seleccionadas en este cuadro.

Cuando disponemos de una lista personalizada y ya hemos escrito en una celda el primer componente de la misma, sólo hay que situar el ratón en el ángulo inferior derecho de esa celda y estirar hasta cubrir todas las celdas que queremos completar.

Trabajar con Opciones de autorrelleno

LA ETIQUETA OPCIONES DE AUTORRELLENO aparece al rellenar una lista automáticamente y permite modificar las condiciones del autorrelleno que se acaba de realizar. Las opciones que incluye son: Copiar celdas, Serie de relleno, Rellenar formatos sólo y Rellenar sin formato, Rellenar (lista personalizada) y Relleno rápido. Esta última opción es una de las novedades de Excel 2013 y será explicada en el ejercicio siguiente.

1. Para trabajar con las opciones de autorrelleno empiece situándose en una hoja en blanco de su libro. Inserte un **3** en la celda **A1**, pulse la tecla **Retorno**, inserte un **4** en la celda **A2** y pulse de nuevo **Retorno**.

2. Seleccione la celda **A1** y, manteniendo la tecla **Mayúsculas** pulsada, haga clic sobre **A2** para seleccionar ese rango.

3. Sitúese en la ficha **Inicio** de la Cinta de opciones y haga clic sobre el icono de la herramienta **Centrar**, el segundo de la segunda fila de herramientas del grupo **Alineación**.

4. El contenido de ambas celdas se centra. A continuación, rellenaremos esta serie automáticamente. Haga clic sobre el cuadrado situado en el extremo inferior derecho de las dos celdas seleccionadas y arrástrelo hasta la celda **A6**.

5. Aparece ahora la etiqueta inteligente **Opciones de autorrelleno**. En este caso, el programa ha interpretado la lista como

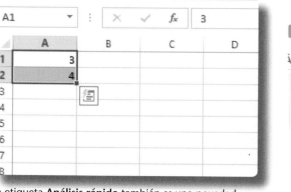

La etiqueta **Análisis rápido** también es una novedad de Excel 2013 y permite convertir datos en gráficos o tablas rápidamente.

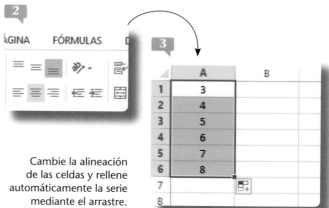

Cambie la alineación de las celdas y rellene automáticamente la serie mediante el arrastre.

una serie de números consecutivos, pero imagine que su intención era simplemente copiar el contenido de las dos primeras celdas. Haga clic sobre la etiqueta inteligente y pulse sobre la opción **Copiar celdas**. [4]

6. El contenido de las celdas rellenadas ha cambiado y ahora muestra la copia exacta de las dos celdas originales incluyendo su formato. [5] El resto de opciones están relacionadas con las distintas versiones de relleno de una serie. Imagine ahora que desea rellenar esta serie pero sin copiar el formato, es decir, sin que las celdas rellenadas automáticamente presenten la alineación predeterminada para los valores numéricos, a la derecha. Haga clic sobre la etiqueta **Opciones de autorrelleno** y seleccione la opción **Rellenar sin formato**. [6]

7. El contenido de las celdas rellenadas no es una copia de las originales, sino que ahora muestra una serie de números con la alineación predeterminada por Excel. [7] Intentaremos copiar el formato simplemente, sin contenido alguno. Haga clic de nuevo sobre las **Opciones de autorrelleno** y active la opción **Rellenar formatos sólo**. [8]

8. En este momento las celdas comprendidas entre **A3** y **A6** están vacías pero presentan una alineación centrada. De este modo, los datos que inserte en cualquiera de estas celdas presentarán este tipo de alineación. Compruébelo introduciendo el valor **120** en la celda **A3**. [9]

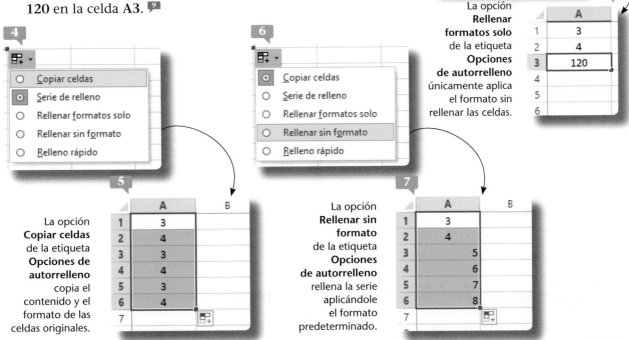

La opción **Copiar celdas** de la etiqueta **Opciones de autorrelleno** copia el contenido y el formato de las celdas originales.

La opción **Rellenar sin formato** de la etiqueta **Opciones de autorrelleno** rellena la serie aplicándole el formato predeterminado.

La opción **Rellenar formatos solo** de la etiqueta **Opciones de autorrelleno** únicamente aplica el formato sin rellenar las celdas.

Usar la herramienta Relleno rápido

LA NUEVA ETIQUETA RELLENO RÁPIDO funciona como un asistente de datos que reconoce un patrón en la hoja y lo utiliza para rellenar series. Resulta especialmente útil, como veremos en este ejercicio, para dividir columnas de datos.

1. En este ejemplo usaremos una lista de nombres y apellidos que hemos introducido en la columna A; supongamos que queremos separar esos datos en columnas independientes. La nueva función de relleno rápido de Excel 2013 nos permitirá llevar a cabo esta acción fácil y rápidamente. Sitúese en la celda **B1**, escriba el nombre del primer elemento de la lista 🗨1 y pulse la tecla **Retorno**.

2. Empiece ahora a escribir el nombre del segundo elemento y vea cómo Excel muestra una lista de las posibles opciones tomando como patrón los nombres de la primera columna. 🗨2 Pulse la tecla **Retorno** para confirmar la entrada de ese segundo elemento.

3. Automáticamente la columna B queda rellenada con los nombres de pila correspondientes a la vez que aparece la nueva etiqueta **Opciones de relleno de Flash**. Pulse sobre ella.

4. Como ve, esta etiqueta contiene las opciones que permiten deshacer el relleno rápido, aceptar las sugerencias y seleccio-

Tenga en cuenta que la nueva función de relleno rápido de Excel 2013 distingue entre mayúsculas y minúsculas.

Puede pulsar la tecla **Escape** para seguir escribiendo sin utilizar las sugerencias de relleno rápido.

nar las celdas en blanco y las celdas modificadas. Elija la opción **Aceptar sugerencias.** 🗨3

5. Rellenaremos del mismo modo la siguiente columna con los apellidos de nuestra lista. Sitúese en la celda **C1**, escriba el primer apellido de su lista y pulse **Retorno**.

6. Empiece a escribir el segundo apellido, pulse **Retorno** cuando aparezca la lista de nombres sugeridos y, en la etiqueta inteligente **Opciones de relleno de Flash**, pulse sobre la opción **Aceptar sugerencias.** 🗨4

7. Tenga en cuenta que la nueva herramienta de relleno rápido funciona únicamente cuando el programa reconoce un patrón de datos con alguna coherencia. Esos datos no tienen por qué ser siempre nombres. Además, el relleno rápido distingue entre mayúsculas y minúsculas, por lo que puede emplearse también para cambiar el tipo de texto (por ejemplo, una lista de términos en minúsculas podrá convertirse fácilmente en una lista en mayúsculas gracias a esta nueva utilidad.) Para acabar este ejercicio, veremos cómo se puede deshabilitar la función de relleno rápido. Pulse en la pestaña **Archivo** y haga clic en **Opciones**.

8. Active la categoría **Avanzadas** y vea que, de manera predeterminada, se encuentra activada la opción **Relleno rápido automático**. Si desea desactivarla, pulse en su casilla de verificación y acepte los cambios. 🗨5

IMPORTANTE

También puede activar la herramienta de relleno rápido desde el grupo **Herramientas de datos** de la ficha Datos o pulsando la combinación de teclas **Ctrl.+E**.

Texto en columnas | Relleno rápido | Quitar duplicados

3

B	C	D	E	F
María				
Ester				
Pedro				
Ana				
Alonso				
Felipe				

↶ Deshacer Relleno rápido
✓ Aceptar sugerencias
Seleccionar todas las 0 celdas en blanco
Seleccionar todas las 5 celdas modificadas

4

C	D	E	F	G
Pérez				
Adán				
Nieto				
Sánchez				
Ruíz				
Hernández				

↶ Deshacer Relleno rápido
✓ Aceptar sugerencias
Seleccionar todas las 0 celdas en blanco
Seleccionar todas las 5 celdas modificadas

5

☑ Permitir editar directamente en las celdas
☑ Extender formatos de rangos de datos y fórmulas
☑ Habilitar la inserción automática de porcentajes
☑ Habilitar Autocompletar para valores de celda
  ☑ Relleno rápido automático
☐ Hacer zoom al usar la rueda de IntelliMouse

En el caso de que la utilidad de relleno rápido no reconozca el patrón y no le permita rellenar los datos, siempre puede usar la herramienta **Texto en columnas** para dividir texto en celdas diferentes.

Ordenar datos

LA FUNCIÓN ORDENAR está destinada a solucionar los problemas de manejo de tablas que contienen grandes cantidades de registros introducidos sin seguir ningún orden. El orden se establecerá según un criterio numérico o alfabético, en función del contenido de la columna seleccionada. En ambos casos, el sentido puede ser ascendente o descendente.

IMPORTANTE

Cuando se van a ordenar datos numéricos o de texto es importante que éstos estén almacenados con formato de número y con formato de texto respectivamente, ya que en caso contrario la ordenación podría no llevarse a cabo correctamente.

1. Para llevar a cabo este ejercicio, utilizaremos el libro **Puntos2. xlsx**, una versión modificada del archivo **Puntos** en la que hemos reorganizado el contenido de la hoja 1 para volver a mostrar la tabla de datos completa. Las herramientas de ordenación se encuentran tanto en el grupo **Modificar** de la ficha **Inicio** como en el grupo **Ordenar y filtrar** de la ficha **Datos**. En primer lugar, ordenaremos alfabéticamente la lista de nombres. Seleccione el primero de la lista.

2. Haga clic en el botón del grupo de herramientas **Ordenar y filtrar** y pulse sobre la opción **Ordenar de A a Z**.

3. Automáticamente toda la tabla se ordena siguiendo como criterio de orden la inicial de los nombres. Ahora ordenaremos los nombres en orden alfabético descendente. En esta ocasión, utilizaremos las herramientas de ordenación de la ficha **Datos**. Actívela.

1

	A	B	C
1	PUNTOS	1 Partida	2 Partid
2	Flores	40	
3	Asensi	20	
4	Bonito	25	
5	Vera	60	
6	Balaguer	25	
7	Nerín	30	
8	Pérez	25	
9	Álvarez	10	

Seleccione una celda de la columna que desea ordenar, active la opción de ordenación que más le convenga en el comando **Ordenar y filtrar** y vea cómo automáticamente Excel ejecuta la acción.

2

Ordenar y filtrar ·   Buscar y seleccionar ·

- Ordenar de A a Z
- Ordenar de Z a A
- Orden personalizado...
- Filtro
- Borrar
- Volver a aplicar

3

	A	B	C
1	PUNTOS	1 Partida	2 Parti
2	Álvarez	10	
3	Asensi	20	
4	Balaguer	25	
5	Bonito	25	
6	Flores	40	
7	Nerín	30	
8	Pérez	25	
9	Vera	60	

4. Pulse sobre el icono **Ordenar de Z a A** del grupo de herramientas **Ordenar y filtrar**.

5. Ahora imaginemos que queremos ordenar la tabla de manera que se muestren en primer lugar los nombres con números menores (de puntos, de altura, etc.) y en último lugar los de números mayores. Haga clic sobre la herramienta **Ordenar** del grupo **Ordenar y filtrar**. 5

6. Se abre el cuadro **Ordenar**, donde debemos establecer los criterios de orden. Haga clic en el botón de punta de flecha del campo **Ordenar por** y seleccione la columna **Total** que es donde encuentran los valores que ordenaremos. 6

7. A continuación, haga clic en el botón de punta de flecha del campo **Ordenar según** para ver las opciones que incluye.

8. Si ha aplicado formatos manuales o condicionales a un rango de celdas o a una columna de tabla, Excel permite ordenarlas por color de celda o de fuente o por icono de celda. Mantenga seleccionada la opción **Valores**.

9. Seleccione la opción **De menor a mayor** en el campo **Criterio de ordenación** y pulse el botón **Aceptar**. 7

Sepa que puede añadir hasta 64 niveles de ordenación usando el botón **Agregar nivel** del cuadro **Ordenar**. Además, el cuadro **Opciones de ordenación** permite distinguir entre mayúsculas y minúsculas así como cambiar la orientación del orden.

031

El botón **Ordenar** abre el cuadro de diálogo del mismo nombre desde el cual es posible establecer diferentes criterios y niveles de ordenación. Elija la columna que desea ordenar, el tipo de datos que contiene y el criterio de ordenación.

Puede encontrar los comandos de ordenación y filtrado de datos tanto en la ficha **Inicio** como en la ficha **Datos**.

Observe que los valores de la columna **total** se han ordenado de menor a mayor.

Utilizar autofiltros

LOS FILTROS SON LA FUNCIÓN más adecuada para localizar registros que cumplan criterios y ocultar las filas que no desea ver.

1. Para llevar a cabo este ejercicio utilizaremos un nuevo libro de ejemplo. Descargue de nuestra web el documento **Autofiltro. xlsx**, guárdelo en su ordenador, ábralo y active la hoja 1.

2. Como puede ver, esta hoja de cálculo está formada únicamente por dos columnas, una que refleja los meses del año y otra, los gastos generados en cada uno de estos meses. Seleccione la celda **A1** haciendo clic sobre ella.

3. Sitúese en la ficha **Datos** y haga clic en el comando **Filtro** 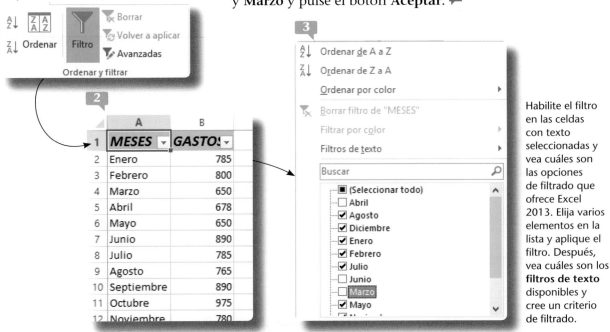 del grupo de herramientas **Ordenar y filtrar**.

4. En cada una de las celdas que el programa ha interpretado como rótulos, se ha situado un botón de flecha. Pulse sobre el botón de flecha que ha aparecido en la cabecera **MESES**.

5. Como ve, el autofiltro le permite seleccionar elementos de una lista de valores de texto, ordenarlos o crear criterios. En la lista de meses, desactive las casillas de los meses **Abril**, **Junio** y **Marzo** y pulse el botón **Aceptar**.

IMPORTANTE

Para obtener los mejores resultados, es importante no mezclar formatos de almacenamiento, como texto y números o números y fecha, en una misma columna, ya que para cada columna sólo hay disponible un tipo de comando de filtro. Si se mezclan formatos de almacenamiento, el autofiltro se aplicará sobre el que se repite más.

Habilite el filtro en las celdas con texto seleccionadas y vea cuáles son las opciones de filtrado que ofrece Excel 2013. Elija varios elementos en la lista y aplique el filtro. Después, vea cuáles son los **filtros de texto** disponibles y cree un criterio de filtrado.

6. En la lista ya no aparecen estos meses y las cabeceras de las filas se muestran en color azul, lo que indica que tienen aplicado un filtro. Para volver a mostrar todos los meses, haga clic en el icono de filtro del rótulo **MESES**, marque la casilla de verificación de la opción **Seleccionar todo** y pulse **Aceptar**.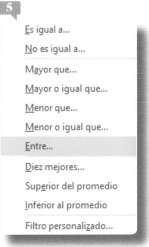

7. A continuación, aplicaremos un filtro de número a la columna **B**. Pulse en el botón de flecha del rótulo **GASTOS** y haga clic en la opción **Filtros de número** para ver qué opciones incluye.

8. Puede utilizar los operadores de comparación (igual que, mayor que, entre, etc.) para establecer criterios o crear su propio filtro personalizado. Seleccione la opción **Entre**.

9. Se abre el cuadro **Autofiltro personalizado**, en el que tenemos que indicar los criterios que deberá cumplir el filtro. En este caso, vamos a mostrar únicamente los valores comprendidos entre 600 y 800. Haga clic en el campo **es mayor o igual a** e introduzca el valor 600.

10. Haga clic en el campo **es menor o igual a**, escriba el valor **800** y pulse el botón **Aceptar** para aplicar el filtro.

11. Vea cómo se actualiza el listado mostrando sólo los meses cuyos gastos coinciden con el criterio de filtro establecido. Para terminar, eliminaremos el filtro. Pulse el comando **Borrar** del grupo de herramientas **Ordenar y filtrar**.

12. Por último, para deshabilitar el filtrado de celdas, pulse en el comando **Filtro** de ese mismo grupo.

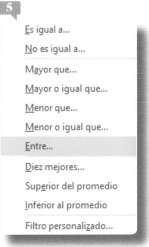

Elija uno de los criterios de filtro predeterminados y accederá al cuadro **Autofiltro personalizado**, donde podrá establecer los valores de filtrado.

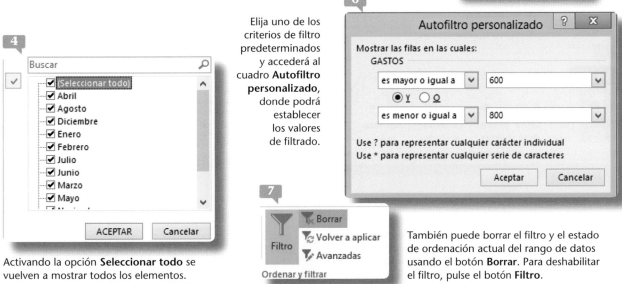

Activando la opción **Seleccionar todo** se vuelven a mostrar todos los elementos.

También puede borrar el filtro y el estado de ordenación actual del rango de datos usando el botón **Borrar**. Para deshabilitar el filtro, pulse el botón **Filtro**.

Importar datos desde Access

LAS HERRAMIENTAS DE IMPORTACIÓN DE DATOS se encuentran en el grupo de herramientas Obtener datos externos, en la ficha Datos de la Cinta de opciones. Esas herramientas permiten importar datos desde una base de datos de Access, desde una página Web, desde un archivo de texto o desde otros orígenes de datos que se incluyen en el comando De otras fuentes.

1. Vamos a importar los datos desde una base de datos de Access. Conocemos de antemano el nombre del archivo de origen de datos que deseamos importar y también el lugar donde deseamos ubicarlo. Si usted no tiene ningún documento Access descargue **Libros Infantiles.accbd** desde nuestra web y guárdelo en su ordenador. Active una hoja de Excel en blanco.

2. Active la ficha **Datos** de la **Cinta de opciones** y pulse el botón **Desde Access** del grupo de herramientas **Obtener datos externos**. 🔳

3. En el cuadro **Seleccionar archivos de origen de datos** localice y abra la carpeta en la que se encuentra el archivo de Access que contiene los datos que desea importar, selecciónelo y pulse el botón **Abrir**. 🔳

Localice y seleccione el archivo de base de datos que desea importar a Excel en el cuadro **Seleccionar archivos de origen de datos**.

033

4. Si la base de datos está compuesta de varias tablas, como es el caso de nuestro ejemplo, se abre el cuadro **Seleccionar tabla**, [3] en el que debe seleccionar la tabla que desea importar. Seleccione la denominada **Libros infantiles1** y pulse el botón **Aceptar**.

5. En el cuadro **Importar datos** debemos establecer el modo en que los datos se mostrarán en el libro así como el punto exacto de la hoja actual, o de una nueva, donde se ubicarán. En este caso, mantendremos activada la opción **Tabla** para que los datos aparezcan a modo de tabla y la celda **A1** de la hoja de cálculo actual para que se ubique en ese punto del libro. Antes de aceptar la importación de los datos de la tabla, veamos cuáles son sus propiedades. Pulse el botón **Propiedades**. [4]

6. En el cuadro **Propiedades de conexión**, haga clic en la casilla de verificación de la opción **Actualizar cada**.

7. De este modo, cuando modifique los datos en la base de datos, éstos se actualizarán en la hoja de cálculo cada 60 minutos, [5] tiempo establecido de manera predeterminada. Pulse el botón **Aceptar**.

8. Pulse el botón **Aceptar** del cuadro **Importar datos** para que el rango de datos sea importado directamente a la hoja activa.

La operación se ha llevado a cabo correctamente y ahora, en el punto indicado de la hoja se ha añadido la tabla seleccionada. Al mismo tiempo aparece en la Cinta de opciones la ficha **Herramientas de tablas**, con cuyas mejoradas herramientas de diseño podemos modificar el aspecto de la tabla.

En el cuadro **Importar datos**, indique cómo quiere ver los datos en el libro y dónde quiere situarlos. Si desea ver las propiedades de la base de datos, pulse el botón **Propiedades**.

4

3

Si su base de datos contiene más de una tabla, deberá seleccionar las que quiere importar en el cuadro **Seleccionar tabla**. En caso contrario, se abrirá directamente el cuadro **Importar datos**.

5

Importar datos desde texto

LA IMPORTACIÓN DE DATOS DESDE UN ARCHIVO DE TEXTO se lleva a cabo de manera similar a la de la importación de datos desde Access. En este ejercicio importaremos un documento de texto en esta misma hoja del libro.

1. Para empezar, seleccione una celda vacía, por ejemplo, la **A22**.

2. Active la ficha **Datos** de la **Cinta de opciones** y pulse el botón **Desde texto** del grupo de herramientas **Obtener datos externos**. 🔲

3. Se abre el cuadro **Importar archivo de texto** mostrando por defecto el contenido de la carpeta **Documentos**. Localice y abra la carpeta en la que se encuentra el archivo de texto que desea importar. (Si no tiene ningún archivo .txt puede descargar el denominado **Importar.txt** desde nuestra página web.)

4. Seleccione el archivo de texto en cuestión y pulse el botón **Importar**. 🔲

5. Al importar un documento de texto, aparece el **Asistente para importar texto,** 🔲 que consta de tres pasos en los que debemos definir las condiciones de la importación. En el apartado **Vista previa del archivo** puede ver el aspecto que tendrá el documento cuando lo importemos a la hoja de cálculo. Man-

tenga los parámetros tal y como aparecen por defecto en el primer paso del asistente y pulse el botón **Siguiente**.

6. La siguiente pantalla permite establecer el ancho de los campos. Pulse el botón **Siguiente** para conservar el preestablecido.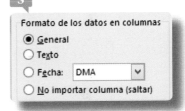

7. La última pantalla permite seleccionar las columnas y establecer el formato de los datos que contienen. Mantenga el formato **General** para los datos de las columnas y pulse el botón **Finalizar**.

8. Como puede ver, los datos de tipo texto sólo pueden importarse como tabla pero también podemos elegir el punto de la hoja actual o de una hoja nueva donde se situarán. Haga clic en el botón **Aceptar** del cuadro **Importar datos** para que los datos de texto se importen como tabla y se coloquen a partir de la celda seleccionada.

9. Antes de acabar, veamos desde qué otras fuentes nos permite Excel 2013 importar datos. Haga clic en una celda vacía.

10. Haga clic en la herramienta **De otras fuentes** del grupo **Obtener datos externos**.

11. Como novedad en Excel 2013, ahora se pueden importar datos desde orígenes adicionales como tablas o tablas dinámicas, fuentes como OData, Windows Azure DataMarket y Share-Point y proveedores de OLE DB. Para acabar este ejercicio, guarde los cambios realizados en el libro pulsando el icono **Guardar** de la **Barra de herramientas de acceso rápido**.

Formato de los datos en columnas
- ● General
- ○ Texto
- ○ Fecha: DMA
- ○ No importar columna (saltar)

Seleccione cómo desea ver estos datos en el libro.
- ● Tabla
- ○ Informe de tabla dinámica
- ○ Gráfico dinámico
- ○ Generar informes de Power View
- ○ Crear solo conexión

Asistente para importar texto - paso 2 de 3

Esta pantalla le permite establecer el ancho de los campos (saltos de columna). Las líneas con flechas indican un salto de columna.

Para CREAR un salto de línea, haga clic en la ubicación deseada.
Para ELIMINAR un salto de línea, haga doble clic en la línea.
Para MOVER un salto de línea, haga clic y arrástrelo.

Vista previa de los datos

```
        10    20    30    40    50    60    70    80
Entonces la anciana subió gozosa al piso de arriba para anunciar a la señora que e
Despierta, Penélope, hija mía, para que veas con tus propios ojos lo que esperas t
```

Cancelar   < Atrás   Siguiente >

Desde SQL Server
Crea una conexión a la tabla de un servidor de SQL Server como tabla o como informe de tabla dinámica.

Desde Analysis Services
Crea una conexión a un cubo de SQL Server Analysis Serv como tabla o como informe de tabla dinámica.

Desde el catálogo de soluciones de Windows Azure
Crea una conexión a una fuente de Microsoft Windows A a Excel en forma de tabla o informe de tabla dinámica.

De la fuente de datos ODATA
Cree una conexión a una fuente de datos OData. Importe tabla o informe de tabla dinámica.

Desde importación de datos XML
Abre o asigna un archivo XML en Excel.

El **Asistente para importar texto** consta de 3 pasos en los que se deben definir los parámetros de importación.

En el botón **De otras fuentes** del grupo de herramientas Obtener datos externos se encuentran el resto de fuentes, desde las que es posible importar datos a Excel 2013.

Validar datos

EL PROCESO DE VALIDACIÓN CONSISTE en establecer unos límites a los datos que puede contener una celda, fila o columna. Estas limitaciones pueden ser de tipo numérico, de texto o de fórmula.

1. Para este ejercicio volveremos a utilizar la hoja 1 del libro de ejemplo **Autofiltro.xlsx**. Sitúese en la celda **F2**, haga clic en la pestaña **Datos** de la **Cinta de opciones** y pulse en el comando **Validación de datos**, del grupo **Herramientas de datos**. **1**

2. En el cuadro **Validación de datos**, abra la lista **Permitir** pulsando en la flecha adjunta y seleccione la opción **Lista**. **2**

3. Haga clic dentro del campo **Origen**, seleccione el rango de celdas **A2:A7** sirviéndose de la tecla **Mayúsculas** y pulse el botón **Aceptar**.

4. Compruebe que junto a la celda seleccionada, **F2**, una flecha permite abrir la lista de datos permitidos. Púlsela. **3**

5. A continuación, vuelva a hacer clic sobre la celda **F2** y escriba manualmente uno de los meses que aparecen en la lista, por ejemplo **Enero**, y pulse la tecla **Retorno**.

1

Texto en columnas | Relleno rápido | Quitar duplicados | Validación de datos ▾ | Consolidar

Herramientas de datos

El botón **Validación de datos** del grupo Herramientas de datos da paso al cuadro de diálogo Validación de datos, donde debemos indicar los valores que se van a permitir en las celdas seleccionadas.

2

Validación de datos

| Configuración | Mensaje de entrada | Mensaje de error |

Criterio de validación

Permitir:

Cualquier valor ☑ Omitir blancos

Cualquier valor
Número entero
Decimal
Lista
Fecha
Hora
Longitud del texto
Personalizada

☐ Aplicar estos cambios a otras celdas con la misma configuración

Borrar todos | Aceptar | Cancelar

3

| F | G |

Enero
Febrero
Marzo
Abril
Mayo
Junio

035

6. Ahora, haga clic en la misma celda, introduzca la palabra **Agosto** y pulse la tecla **Retorno**. [4]

7. Se abre un cuadro que nos informa de que el dato introducido no está validado. Pulse el botón **Cancelar** de este cuadro. [5]

8. A continuación, seleccione la celda **G1** y pulse de nuevo el botón **Validación de datos**.

9. Abra la lista **Permitir**, seleccione **Número entero**, despliegue la lista **Datos** y elija la opción **Menor o igual que**.

10. Haga clic dentro del campo **Máximo**, escriba la cifra **10000** sin ningún signo de puntuación y pulse el botón **Aceptar**. [6]

11. En la celda **G1**, que ya se encuentra seleccionada, escriba directamente la cifra **10001** y pulse la tecla **Retorno**.

12. Aparece de nuevo el mensaje de error según lo especificado en el cuadro de validación de datos. Pulse el botón **Reintentar**, escriba la cifra **9950** y pulse **Retorno**.

13. Por último, vamos a ver cuáles son los tipos de mensajes que puede mostrar la función **Validación**. Vuelva a pulsar el botón **Validación de datos** y, en la ventana del mismo nombre, haga clic en la pestaña **Mensaje de error**.

14. En el campo **Estilo**, pulse el botón de flecha para ver los tres estilos de mensajes y seleccione, por ejemplo, **Advertencia** para ver su icono.

15. Acabe el ejercicio pulsando el botón **Cancelar** del cuadro **Validación de datos**.

Si la celda sólo admite valores incluidos entre un rango concreto e intenta insertar otros, aparecerá el cuadro de error. Puede cancelar la acción, reintentar o bien pedir ayuda al programa.

Si se introduce un valor de texto no válido en una celda validada, aparece este **mensaje de error** que nos informa de que dicho valor no puede insertarse en esa celda.

Establecer subtotales

DE FORMA AUTOMÁTICA podemos establecer unos resúmenes en celdas concretas de las tablas. Se trata de la función Subtotal, incluida en el grupo de herramientas Esquema de la ficha Datos. Indicando cuál es la columna que contiene los datos a calcular y en qué puntos de la tabla debe ejecutarse la operación, podemos establecer sumas parciales, pero también promedios, productos, cuentas, e incluso mostrar valores máximos y mínimos.

1. Para llevar a cabo este ejercicio dedicado a la obtención de subtotales, recuperaremos el archivo **Puntos2.xlsx**. Ábralo y sitúese en la celda **A1**.

2. En la ficha **Datos**, pulse en el comando **Subtotal** del grupo de herramientas **Esquema**. 🔟

3. Se abre el cuadro de diálogo **Subtotales**. Mantenga la configuración predeterminada y pulse el botón **Aceptar**. 🔟

4. Tal y como nos proponía el cuadro, se han añadido los totales parciales. En la parte izquierda de la hoja de calculo, han aparecido los típicos controles de un esquema. Pulse sobre el número **1**, situado en la cabecera de los controles, para que se muestre el nivel 1. 🔟

Acceda al cuadro **Subtotales**, establezca las condiciones que desea que se cumplan y muestre únicamente el nivel 1 del esquema resultante.

5. En lo que se denomina nivel 1, sólo se nos muestra el total general. Pulse sobre el número **2** en el cuadro de controles y vea qué tipo de subtotales aparecen.

6. Es posible obtener distintos niveles de visualización. Para combinar niveles de visualización pulse sobre el primero de los signos **+**.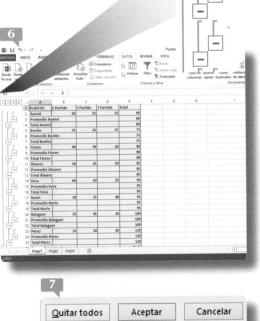

7. Los datos correspondientes al primer elemento de su lista se muestran completos, es decir, en el nivel 3. Pulse nuevamente sobre el comando **Subtotal**.

8. Despliegue la lista del cuadro **Usar función** y seleccione la opción **Promedio**.

9. Desactive la opción **Reemplazar subtotales actuales** para que los subtotales establecidos no desaparezcan y pulse el botón **Aceptar**.

10. Al establecer un nuevo tipo de subtotal, se ha añadido un nuevo nivel al esquema. Haga clic en el nivel 4 para tener una visión completa de la tabla.

11. Para acabar, eliminaremos todos los subtotales. Acceda al cuadro **Subtotales** y pulse el botón **Quitar todos** para recuperar el aspecto original de su tabla.

Podemos ir añadiendo subtotales a los ya creados si desactivamos la opción **Reemplazar subtotales actuales**. En ese caso, se añadirán al esquema.

Pulse en los signos + y - que aparecen al crear el esquema de subtotales para obtener diferentes niveles de visualización.

En el cuadro **Subtotales** podemos elegir entre distintas funciones para crear el esquema (suma, máximo, producto, promedio, etc.).

Para eliminar todos los subtotales, utilice el botón **Quitar todos** del cuadro de diálogo Subtotales.

Editar el contenido de una celda

CUANDO HABLAMOS DE EDITAR EL CONTENIDO de una celda nos referimos a modificar su fuente, su estilo, su color, su tamaño, el relleno de la celda, etc. Todas estas propiedades pueden definirse desde el grupo de herramientas Fuente de la ficha Inicio de la Cinta de opciones.

1. Suponga que desea aplicar un formato de texto y de relleno de celda a un rango concreto de celdas de su hoja. Empiece seleccionando las filas 1 a 9 de las columnas **C** y **D** y active la ficha **Inicio** de la **Cinta de opciones**.

2. Mantenga estas columnas seleccionadas mientras dure todo el ejercicio. Despliegue el campo que muestra la fuente seleccionada en el grupo de herramientas **Fuente** y elija una de las fuentes que tenga instaladas en su equipo. 🔲

3. A continuación, modificaremos el tamaño de la fuente. Pulse el botón de punta de flecha del campo **Tamaño de fuente** y elija uno de los tamaños que se listan. 🔲

4. Compruebe que el tamaño de las celdas se va ajustando a su contenido. Los botones situados a la derecha del campo **Tamaño de fuente** permiten aumentar o disminuir ese tamaño. Pulse el botón **Aumentar tamaño de fuente** para comprobarlo. 🔲

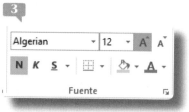

1

En el grupo de herramientas **Fuente** de la ficha **Inicio** encontrará todas las herramientas necesarias para editar el contenido de una celda. Cambie desde aquí la fuente y su tamaño y compruebe el comportamiento de la función **Aumentar tamaño**.

2

3

Excel 2013 ofrece una vista preliminar del estilo seleccionado antes de elegirlo definitivamente. Puede comprobarlo situando el puntero del ratón, sin hacer clic, sobre cualquiera de las fuentes o tamaños y verá que el formato del contenido de las celdas seleccionadas va cambiando.

037

5. Seguidamente, aplique los estilos **Negrita** y **Cursiva** pulsando sobre los dos primeros iconos que aparecen bajo el nombre de la fuente. 4

6. A continuación, cambiaremos el color de relleno y el de la fuente. Pulse en el botón de punta de flecha del icono **Color de relleno**, que muestra un cubo de pintura, y seleccione uno de los colores de la paleta que se despliega. 5

7. El color seleccionado se aplica al fondo de la celda. Pulse ahora en el botón de punta de flecha del icono **Color de fuente**, que muestra una letra A subrayada y elija igualmente uno de los colores de la paleta.

8. Como ve, la edición del contenido de una celda no reviste ninguna dificultad. Antes de acabar, accederemos a la ficha **Fuente** del cuadro **Formato de celdas**, desde la cual también podemos ver las características de un texto y editarlas. Haga clic en el iniciador de cuadro de diálogo del grupo de herramientas **Fuente**. 6

9. Efectivamente en esta ficha se pueden ver todas los atributos que hemos escogido para nuestro rango de celdas. Cambie en este cuadro el estilo **Negrita Cursiva** por el estilo **Negrita** seleccionándolo en el apartado **Estilo** y aplique el cambio pulsando el botón **Aceptar**. 7

10. Por último, deseleccione el rango de celdas pulsando sobre cualquier celda para ver el resultado de las modificaciones y guarde los cambios.

El iniciador de cuadro de diálogo del grupo **Fuente** abre el cuadro **Formato de celdas** en la ficha **Fuente**.

Aplique al texto de las celdas seleccionadas los estilos **Negrita** y **Cursiva** y después cambie el color de relleno de las celdas y el del texto.

Alinear y orientar el texto de una celda

LOS DATOS QUE INTRODUCIMOS EN UNA CELDA se alinean por la izquierda si son de tipo texto y por la derecha si son numéricos. Esta configuración, denominada General, puede ser modificada por el usuario. Verticalmente, los datos de cualquier tipo se sitúan siempre en la parte inferior de la celda.

1. Para llevar a cabo este ejercicio, seguiremos trabajando sobre el libro **Puntos2.xlsx**. Las herramientas de alineación vertical y horizontal se encuentran en el grupo **Alineación** de la ficha **Inicio**. Seleccione una celda con texto y pulse el segundo de los iconos de alineación vertical, para centrar su contenido verticalmente. 🔲¹

2. A continuación, centre el contenido también horizontalmente pulsando en el icono **Centrar**, el segundo de los iconos de alineación horizontal. 🔲²

3. Pulse ahora sobre el comando **Alinear a la derecha**, situado a la derecha del denominado **Centrar**. 🔲³

4. Seguidamente cambiaremos la orientación del texto de la misma celda, para lo que utilizaremos las diferentes opciones que

2

Por defecto Excel coloca los textos alineados horizontalmente a la izquierda y verticalmente en la parte inferior de la celda. Pruebe a centrarlos en ambos sentidos y después compruebe cómo actúa la herramienta **Alinear a la derecha**.

1

3

PUNTOS	1 Partida	2 PART	3 PARTI
Asensi	20	15	25
Bonito	25	25	25
Flores	40	30	10
Álvarez	10	25	50
Vera	60	10	25
Nerín	30	25	40
Balaguer	25	45	30

incluye el comando **Orientación**. Pulse sobre este comando, cuyo icono muestra las letras **ab** inclinadas.

5. Como puede ver, este comando nos permite aplicar ángulos ascendentes o descendentes al texto, cambiar su orientación a vertical, girarlo hacia arriba o hacia abajo y acceder al cuadro de formato de alineación de celdas. Pulse sobre la opción **Ángulo ascendente**. 🔲

6. Vuelva a pulsar ese mismo comando y seleccione ahora la opción **Texto vertical**. 🔲

7. Acceda al cuadro de formato de alineación de celdas desde la herramienta **Orientación** o usando el iniciador de cuadro de diálogo del grupo **Alineación**.

8. Se abre de este modo el cuadro **Formato de celdas** mostrando activa la ficha **Alineación**, que nos informa del estado actual del texto seleccionado. Para devolver la orientación horizontal al texto, sólo debería pulsar sobre la palabra **Texto** que aparece sobre un fondo negro en el apartado **Orientación**. Para inclinarlo, escriba el valor **-45** en el campo **Grados**, 🔲 pulse el botón **Aceptar** y observe el resultado. 🔲

Cambie el ángulo de orientación del texto usando las opciones incluidas en el botón **Orientación** y compruebe el resultado en la hoja.

Puede aplicar un ángulo concreto de orientación especificándolo en el campo **Orientación** de la ficha **Alineación** del cuadro **Formato de celdas**, ya sea escribiendo el valor del ángulo o arrastrando el esquema **Texto** hasta la posición adecuada.

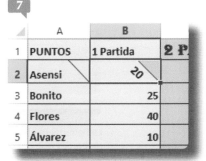

Añadir bordes y tramas a una celda

DE MANERA PREDETERMINADA, EXCEL MANTIENE el fondo de las hojas en blanco, los datos en negro y las líneas de división entre filas y columnas con un trazo muy fino. El programa permite establecer una serie de tramas para los fondos de las celdas, que pueden combinarse con los colores de relleno que se apliquen a las celdas, y colocar líneas divisorias donde el usuario decida.

1. En primer lugar, seleccione en su hoja el rango de celdas al que desea aplicar un marco.

2. Pulse sobre la flecha situada junto al icono **Bordes** que se encuentra en el grupo de herramientas **Fuente**, junto a la herramienta **Color de relleno**.

3. Aparecen así todos los bordes predeterminados que ofrece Excel. Elija en este caso la opción **Borde de cuadro grueso**.

4. El rango seleccionado muestra un borde a su alrededor. Pulse en una celda fuera del rango para comprobarlo.

5. Pulse de nuevo sobre la flecha situada junto al comando **Bordes** y seleccione la opción **Dibujar borde**.

6. Observe que el puntero adopta forma de lápiz. Esta función permite adjudicar manualmente el tipo de borde que se establezca en el comando **Bordes**. Pulse nuevamente sobre dicho

La herramienta **Borde** abre una lista con todas las opciones de bordes que ofrece Excel 2013.

Bordes

- Borde inferior
- Borde superior
- Borde izquierdo
- Borde derecho
- Sin borde
- Todos los bordes
- Bordes externos
- Borde de cuadro grueso
- Borde doble inferior
- Borde inferior grueso

90

comando, haga clic en la opción **Color de línea** y seleccione un color de la paleta. [4]

7. Seguidamente elegiremos el estilo del borde. Despliegue nuevamente el menú de bordes, pulse en la opción **Estilo de línea** y seleccione una de las líneas discontinuas. [5]

8. Una vez definidas las propiedades del borde, haga clic sobre una celda libre y arrastre hasta que sus cuatro bordes queden delimitados. [6]

9. Desactive después el comando **Dibujar borde** pulsando sobre él.

10. Ahora veremos cómo aplicar una trama de fondo a una celda. Acceda al cuadro **Formato de celdas** seleccionando esa opción en el menú contextual de la celda que se encuentra seleccionada y active la ficha **Relleno**.

11. Haga clic sobre la flecha del campo **Estilo de trama** y pulse sobre una de las tramas que aparecen. [7]

12. Como ve, el cuadro **Muestra** nos presenta la previsualización de la trama escogida. Pulse en el botón de flecha del campo **Color de trama**, elija un color y pulse **Aceptar**.

13. Seleccione otra celda para comprobar el efecto conseguido.

14. Por último vuelva a seleccionar la celda con bordes y trama, pulse en el icono **Bordes** del grupo **Fuente** y haga clic en la opción **Sin borde** para que los bordes desaparezcan.

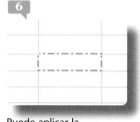

Puede aplicar la herramienta **Dibujar borde** a tantas celdas como quiera.

Excel permite seleccionar tanto el color del borde como el estilo de la línea.

En la ficha **Relleno** del cuadro **Formato de celdas** puede seleccionar un estilo y un color de trama para el relleno de las celdas.

Aplicar y crear estilos de celda

PARA APLICAR EN UN SOLO PASO un formato de celda específico sobre una o varias celdas se utilizan los estilos de celda. Excel 2013 ofrece una gran variedad de estilos de celda que incluyen características de formato como fuentes, bordes, rellenos de celdas, etc. El programa permite modificar un estilo predeterminado para crear uno personalizado.

1. En primer lugar, seleccione el rango de celdas al que desea aplicar un estilo.

2. Sitúese en la ficha **Inicio** de la **Cinta de opciones** y haga clic en la herramienta **Estilos de celda** del grupo **Estilos**. 🔴1

3. Se desplegará un menú con los distintos estilos predefinidos de Excel. Seleccione, por ejemplo, el estilo de celda temático **Énfasis2**. 🔴2

4. Si las celdas que ha elegido no tenían contenido, haga clic en una de ellas, escriba una cifra y pulse **Retorno** para ver cuál es el formato de texto establecido para el estilo seleccionado. (Si ya tenían contenido habrá visto el resultado directamente.)

5. Ahora veremos cómo crear un estilo de celda personalizado. Abra nuevamente la galería de estilos de celda pulsando en el botón correspondiente del grupo **Estilos** y pulse sobre la opción **Nuevo estilo de celda**.

En el botón **Estilos de celda** se encuentran los estilos predefinidos que ofrece Excel 2013. Puede seleccionar uno de estos estilos o bien crear uno propio personalizado.

Datos y modelo

Cálculo	Celda de co...	Celda vincul...	Entrada
Texto de adv...	Texto explica...		

Títulos y encabezados

Encabez...	Encabezado 4	Título	Título 2

Estilos de celda temáticos

20% - Énfasis1	20% - Énfasis2	20% - Énfasis3	20% - Én...
40% - Énfasis1	40% - Énfasis2	40% - Énfasis3	40% - Én...
60% - Énfasis1	60% - Énfasis2	60% - Énfasis3	60% - Én...
Énfasis1	Énfasis2	Énfasis3	Énfasis4

Cada estilo predefinido tiene una serie de características como un color de fondo, una alineación, un color de texto, que puede comprobar aplicándolo a una de sus celdas.

6. Se abre así el cuadro **Estilo** en el que, primero, estableceremos un nombre. En el campo **Nombre del estilo** escriba un nombre que identifique a su estilo. **3**

7. Una vez le haya dado nombre al nuevo estilo, especifique qué campos quiere determinar con este estilo: fuente, alineación, bordes, relleno, etc.

8. Para elegir el formato que queremos aplicar al estilo, pulse el botón **Formato**.

9. Aparece el cuadro **Formato de celdas** que ya conoce. En las distintas fichas de este cuadro deberá definir las características de su estilo de celda. Por ejemplo, en la ficha **Relleno** seleccione el color azul claro. **4**

10. Active la ficha **Borde**, marque la opción **Contorno**, haga clic en el botón de flecha del campo **Color** y elija el amarillo.

11. Por último, estableceremos en este ejemplo que el contenido de las celdas deberá alinearse siempre a la izquierda. Active la ficha **Alineación** y en el campo **Horizontal** elija la opción **Izquierda (sangría)**.

12. Pulse el botón **Aceptar** para aplicar el nuevo formato y vuelva a pulsar ese botón en el cuadro **Estilo** para crear el estilo.

13. Para aplicar el estilo recién creado a la celda seleccionada, haga clic en el botón **Estilos de celda** y, tras comprobar que su estilo aparece ya en el apartado **Personalizada**, selecciónelo. **5**

14. Para acabar este ejercicio seleccione todas las columnas de la tabla **Puntos** y aplíqueles el estilo **Salida**. (Asegúrese también de que todas las celdas tengan la misma alineación y orientación.)

IMPORTANTE

Cada uno de los estilos de celda dispone de un menú contextual que permite duplicar, eliminar o modificar el estilo.

Cuando cree un estilo de celda personalizado, éste aparecerá en el apartado **Personalizada** de la galería.

3

Asigne un nombre a su nuevo estilo, especifique qué características de diseño y formato incluirá y pulse el botón **Formato** para acceder al cuadro **Formato de celdas** y determinar dichas características.

4

Seleccione un color de relleno, un borde, una alineación y otras características en el cuadro **Formato de celdas** para su estilo personalizado.

Aplicar formato condicional

PODEMOS UTILIZAR EL FORMATO CONDICIONAL de celdas para analizar visualmente los datos de una hoja. El comando Formato condicional se incluye en el grupo Estilo de la ficha Inicio y permite marcar fácilmente excepciones o tendencias en los datos con degradados de color, barras de datos y conjuntos de iconos que cumplan una regla concreta.

1. En este ejercicio aprenderá a aplicar formatos condicionales enriquecidos a las celdas de una tabla (por ejemplo, de puntuaciones). Imagine, en primer lugar, que quiere resaltar las puntuaciones mayores de 35 de los jugadores de la tabla **Puntos.** Empiece seleccionando el rango de celdas que contiene las puntuaciones por partida y pulse sobre el comando **Formato condicional** del grupo **Estilos.**

2. Como ve, el formato condicional permite resaltar reglas de celdas y reglas superiores e inferiores, así como utilizar barras de datos, escalas de color o conjuntos de iconos con fines analíticos y de presentación. Además, desde este menú de opciones, podemos crear nuevas reglas, borrar las aplicadas y acceder al cuadro **Administrador de reglas de formato condicionales,** en el que es posible modificar las condiciones de las reglas creadas. Elija la opción **Resaltar reglas de celdas.**

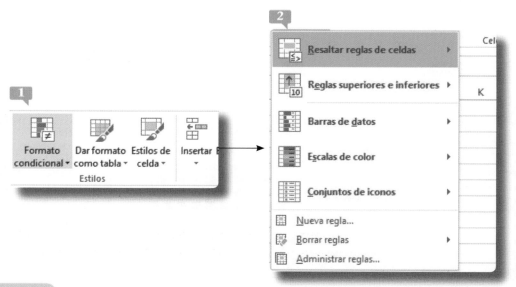

El comando **Formato condicional** del grupo de herramientas **Estilos,** en la ficha Inicio, incluye diferentes opciones que permiten resaltar celdas que cumplen determinadas condiciones para facilitar un análisis o mejorar la presentación de la hoja de cálculo.

041

3. Es posible resaltar las celdas que contienen valores superiores o inferiores a un número, las que contienen un texto o una fecha concretos, etc. En este caso, haga clic sobre la opción **Es mayor que**. 🔳

4. Se abrirá el cuadro **Es mayor que**, donde debemos especificar el valor que se tomará como base para la regla y el formato que mostrarán las celdas que la cumplan. En el campo **Aplicar formato a las celdas que son MAYORES QUE** escriba el valor 35.

5. Observe cómo, a medida que se van introduciendo los valores, se van marcando las celdas que cumplen la regla con el formato seleccionado por defecto, **Relleno rojo claro con texto rojo oscuro**. Haga clic en el botón de punta de flecha del campo **Con**, pulse sobre la opción **Relleno verde con texto verde oscuro** 🔳 y haga clic en **Aceptar**.

6. Ahora utilizaremos las barras de datos para representar gráficamente una escala de valores, donde los más altos mostrarán la barra más larga y los más bajos, la más corta. Haga clic nuevamente en el botón **Formato condicional**.

7. Pulse sobre la opción **Barras de datos** y, de los estilos que aparecen, seleccione, por ejemplo, el tercero de la primera fila. 🔳

8. Esta representación gráfica permite visualizar rápidamente aquellas celas con mayores valores. 🔳 Ahora borraremos los formatos condicionales que hemos aplicado. Haga clic una vez más en el botón **Formato condicional**, pulse sobre la opción **Borrar reglas** y, del submenú que se despliega, elija la opción **Borrar reglas de las celdas seleccionadas**.

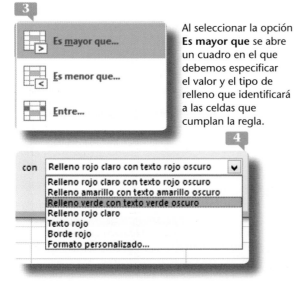

Al seleccionar la opción **Es mayor que** se abre un cuadro en el que debemos especificar el valor y el tipo de relleno que identificará a las celdas que cumplan la regla.

PUNTOS	1 Partida	2 Partida	3 Partida	Total
Asensi	20	15	25	60
Bonito	25	25	25	75
Flores	40	30	10	80
Álvarez	10	25	50	85
Vera	60	10	25	95
Nerín	30	25	40	95
Balaguer	25	45	30	100
Pérez	25	50	45	120

También puede crear representaciones gráficas de barras de datos con diferentes formatos.

Formatos de números y de fecha

CUANDO SE INTRODUCE UN VALOR numérico en una celda, éste puede tomar diversos aspectos dependiendo del formato asignado a la celda que lo contiene. Por defecto, tanto los datos de texto como los numéricos presentan el formato General.

1. Seleccione una celda de su tabla, inserte el valor **-5** y pulse el botón **Introducir**.

2. Con la misma celda seleccionada, haga clic en el botón **Formato** del grupo **Celdas** y pulse en la opción **Formato de celdas**.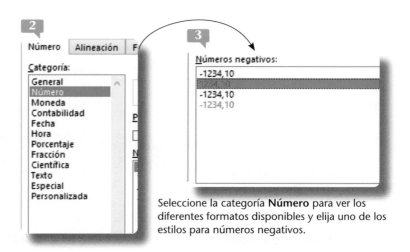

3. Active la pestaña **Número** y, tras comprobar que, efectivamente, el formato actual de los datos es **General**, seleccione la opción **Número**.

4. En este tipo de formato, los números negativos pueden expresarse de diferentes maneras. Elija, por ejemplo, la segunda opción de la lista **Números negativos** para mostrarlos en rojo y sin signo menos (-) delante y pulse **Aceptar**.

5. En general, se suelen escribir los números con un punto de separación entre millares para facilitar su lectura. Existen, evidentemente, formatos para que así sea, pero veremos a continuación un modo simple y rápido de hacerlo. Haga clic en una celda vacía, escriba el valor **2550** y pulse el botón **Introducir**.

Seleccione la categoría **Número** para ver los diferentes formatos disponibles y elija uno de los estilos para números negativos.

6. En el grupo de herramientas **Número**, pulse en el comando **Estilo millares**, que muestra tres ceros, para que se añada el punto de separación entre millares en el valor numérico introducido.

7. A continuación, practicaremos con la aplicación de formatos de fecha a celdas. Seleccione una celda vacía y pulse en el botón de flecha del campo **Formato de número** del grupo **Número**, donde se muestra por defecto la opción **General**.

8. Como ve, en este menú disponemos de dos estilos de fecha distintos. Elija la opción **Fecha larga**.

9. Inserte ahora la fecha actual (puede separar los campos con barras inclinadas o con guiones) y pulse la tecla **Retorno**.

10. Excel nos muestra así la fecha completa correspondiente a los valores introducidos. Vamos a ver ahora otro modo de aplicar un formato de fecha a otra celda. Pulse en el **iniciador de cuadro de diálogo** del grupo de herramientas **Número**.

11. Se abre de nuevo el cuadro **Formato de celdas**, en el que elegiremos otro formato de fecha. Haga clic en la opción **Fecha** del cuadro **Categoría**.

12. Pulse en la parte inferior de la Barra de desplazamiento del apartado **Tipo**, elija, por ejemplo, la opción **14-mar.-12** y pulse el botón **Aceptar**.

13. Una vez seleccionado el formato para la celda, sólo nos queda comprobar su efecto. Escriba la fecha actual y pulse la tecla **Retorno**.

Esta misma opción también se puede aplicar desde el cuadro de diálogo **Formato de celdas** activando la opción **Usar separador de miles**.

La opción **Fecha larga** muestra la fecha como en la imagen.

El cuadro **Formato de celdas** ofrece distintos tipos de formatos de fecha entre los que puede elegir el que más le convenga.

Calcular los días transcurridos entre fechas

SI DESEA AVERIGUAR EL NÚMERO DE DÍAS transcurridos entre dos fechas concretas, puede utilizar la función Hoy de la categoría Fecha y hora, dentro del cuadro Insertar función.

1. Seleccione una celda vacía de su hoja de cálculo, active la pestaña **Fórmulas** y pulse sobre el comando **Insertar función**.

2. En el cuadro **Insertar función**, haga clic en el botón de punta de flecha del campo **O seleccionar una categoría** y elija la opción **Fecha y hora**. 🔲1

3. En esta categoría se encuentran todas las funciones relacionadas con operaciones sobre días, meses, años, horas, etc. Haga clic en la parte inferior de la Barra de desplazamiento vertical del apartado **Seleccionar una función**, elija la opción **Hoy** 🔲2 y pulse el botón **Aceptar**.

4. Se abrirá así el cuadro **Argumentos de función**, que muestra una breve descripción del efecto de la fórmula; en este caso no tiene argumentos. Puede pulsar el vínculo **Ayuda sobre esta función** si desea obtener más información. Pulse el botón **Aceptar** para que aparezca la fecha actual en su celda. 🔲3

1

Buscar una función:

Escriba una breve descripción de lo que desea hacer y, a continuación, haga clic en Ir

O seleccionar una categoría: Usadas recientemente

Seleccionar una función:

SUMA
PROMEDIO
SI
HIPERVINCULO
CONTAR
MAX
SENO

Usadas recientemente
Todo
Financiera
Fecha y hora
Matemáticas y trigonométricas
Estadísticas
Búsqueda y referencia
Base de datos
Texto
Lógica
Información
Ingeniería

SUMA(número1;número2;...)
Suma todos los números en...

2

Seleccionar una función:

FECHANUMERO
FIN.MES
FRAC.AÑO
HORA
HORANUMERO
HOY
ISO.NUM.DE.SEMANA

3

Argumentos de función

Devuelve la fecha actual con formato de fecha.

Esta función no tiene argumentos.

Resultado de la fórmula = volátil

Ayuda sobre esta función   Aceptar   Cancelar

La función **HOY,** que se encuentra en la categoría de funciones Fecha y hora, devuelve la fecha actual con formato de fecha y carece de argumentos.

043

5. Observe que automáticamente Excel aplica el formato de fecha a la celda seleccionada, es decir, aparecerá el día de hoy en la celda. Haga clic en la **Barra de fórmulas**, al final de la función, y escriba un signo menos (-) seguido de su fecha de nacimiento entre comillas (ejemplo: **=HOY()-"10/09/1984"**). **4**

6. Es muy importante introducir la fecha entre comillas para que la operación se efectúe correctamente. Pulse el botón **Introducir**.

7. Puesto que el formato de la celda seleccionada es el de fecha, Excel nos ofrece el resultado de la función en dicho formato. Vamos a cambiarlo para ver el número de días exactos transcurridos entre la fecha día de su nacimiento y el día de hoy. Con la celda seleccionada, vuelva a activar la pestaña **Inicio**, haga clic en el botón de flecha del campo **Formato de número** y seleccione la opción **Número**.

8. Para comprobar que el resultado es correcto, realizaremos una sencilla división en otra celda. Seleccione una celda vacía y escriba la fórmula **=nombre de la celda que contiene el resultado de la función HOY/365** (número de días del año). **5**

9. Pulse el botón **Introducir** de la **Barra de fórmulas** y compruebe que su edad exacta expresada en años es el resultado mostrado. **6**

10. Para acabar el ejercicio, guarde los cambios pulsando el icono **Guardar** de la **Barra de herramientas de acceso rápido**.

4

f_x | =HOY()-"10/09/1984"

Recuerde escribir la fecha entre comillas para que la fórmula se ejecute correctamente.

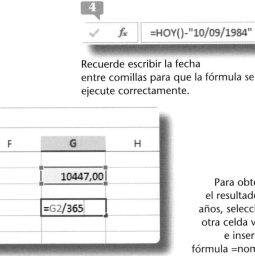

5

La fórmula **HOY** convierte la celda en la que se realiza al formato de Fecha. Cambie dicho formato a **Número**.

Para obtener el resultado en años, seleccione otra celda vacía e inserte la fórmula =nombre de la celda con el número de días/365.

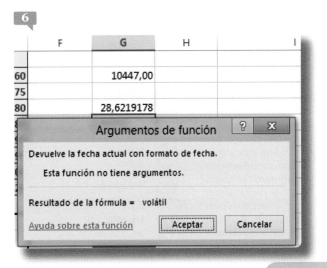

6

Conocer otros tipos de formatos

EXISTEN INFINIDAD DE CATEGORÍAS de formatos de valores numéricos: moneda, porcentaje, hora, fracción, etc. En este ejercicio practicaremos con algunos de estos formatos. Realizaremos los cambios a través del cuadro de diálogo Formato de celdas y también usaremos el listado de formatos incluido en el grupo de herramientas Número de la ficha Inicio.

1. En su hoja de cálculo, seleccione un rango de celdas con valores numéricos y con formato **General**.

2. En la ficha **Inicio**, haga clic en el botón de punta de flecha del campo **Formato de número** del grupo de herramientas **Número**. **1**

3. Como ya sabe, aparece un listado con los principales tipos de formato de número disponibles. Haga clic sobre la opción **Porcentaje**. **2**

4. Los valores de las celdas del rango seleccionado se muestran ahora en porcentajes y con dos decimales, **3** según lo establecido por defecto en el cuadro **Formato de celdas**. Podemos aumentar o disminuir el número de decimales usando los dos iconos situados sobre el iniciador de cuadro de diálogo del grupo de herramientas **Número**. Para disminuir el número de

1

General

% 000

Número

2

Contabilidad
60,00 €

Fecha corta
29/02/1900

Fecha larga
miércoles, 29 de febrero de 1900

Hora
0:00:00

Porcentaje
6000,00%

Fracción
60

Recuerde que puede cambiar el formato de número de una celda desde el menú incluido en el comando **Formato de número** del grupo de herramientas Número o bien accediendo al cuadro de diálogo **Formato de celda**.

3

	C	D	E
	2 Partida	3 Partida	Total
20	15	25	6000,00%
25	25	25	7500,00%
40	30	10	8000,00%
10	25	50	8500,00%
60	10	25	9500,00%
30	25	40	9500,00%

La configuración predeterminada para el formato de número **Porcentaje** establece que se deben mostrar dos cifras decimales.

decimales en las celdas seleccionadas, haga clic sobre la herramienta **Disminuir decimales**, segundo de esos iconos.

5. Observe que los valores seleccionados pasan a mostrar un solo decimal. También podemos cambiar el número de decimales y el formato de número desde el cuadro **Formato de celdas**. Haga clic en el **iniciador de cuadro de diálogo** del grupo de herramientas **Número** y pruebe a cambiar el número de decimales.

6. A continuación veremos cuántos formatos de hora ofrece Excel. Haga clic sobre la categoría **Hora** y seleccione el tercer tipo de formato que aparece en la ventana **Tipo**.

7. Si en el contenido de las celdas seleccionadas no había horas, Excel por defecto pondrá la hora de media noche en el formato seleccionado. Pulse el botón **Aceptar** para comprobarlo.

8. Por último, aplicaremos el estilo **Número sin decimales** a las celdas seleccionadas. Haga clic en el botón de punta de flecha del campo **Formato de número**, que ahora muestra la opción Hora, y pulse sobre el comando **Más formatos de número**.

9. De nuevo se abre el cuadro **Formato de celdas** con la ficha **Número** activa. Pulse sobre la categoría **Número**.

10. En el campo **Posiciones decimales**, escriba el valor **0**, o utilice las flechas laterales para reducir el número hasta **0**, y pulse el botón **Aceptar**.

11. Para acabar este sencillo ejercicio, deseleccione el rango de celdas pulsando en una celda libre y guarde los cambios usando la combinación de teclas **Ctrl+G**.

El número de decimales se puede modificar desde el cuadro **Formato de celda**, cambiando el número de **posiciones decimales** de la categoría **Número**.

Los comandos **Aumentar decimales** y **Disminuir decimales** permiten modificar fácil y rápidamente el número de decimales que se muestran en una celda con valor numérico.

Compruebe cómo se comportan los diferentes formatos de hora que ofrece Excel 2013.

Utilizar la función Autocompletar

IMPORTANTE

Para desplazarse por la lista de funciones de Autocompletar puede utilizar atajos de teclado. Por ejemplo, pulse la tecla **Escape** para cerrar la lista, la tecla Inicio para seleccionar el primer elemento o la tecla Fin para seleccionar el último.

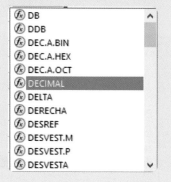

AL INTRODUCIR UNA FUNCIÓN, EXCEL 2013 ACTIVA por defecto la función Autocompletar, con la que se puede escribir rápidamente la sintaxis correcta de una fórmula en caso de duda. Esta función, que se puede activar o desactivar desde el apartado Fórmulas del cuadro Opciones de Excel, detecta fácilmente las funciones que se desean utilizar y muestra ayuda para completar los argumentos necesarios para obtener la fórmula correcta.

1. Para empezar este ejercicio, en el que conoceremos la utilidad de la función Autocompletar, haga clic en la pestaña **Archivo** y pulse sobre el comando **Opciones**.

2. En el cuadro de diálogo **Opciones de Excel** pulse sobre la opción **Fórmulas** en el panel de la izquierda.

3. Compruebe que la opción **Autocompletar fórmulas** del apartado **Trabajo con fórmulas** está activada. 🔲 Es por ello que, al empezar a introducir una fórmula, aparece una lista de funciones cuya inicial coincide con la primera letra insertada. Cierre el cuadro **Opciones de Excel** pulsando el botón **Cancelar**.

4. Seleccione una celda libre de su hoja y escriba el signo = para empezar a introducir una función. 🔲

5. Imaginemos que queremos calcular el mínimo común múltiplo de los valores de tres celdas de esta hoja, pero desconocemos la sintaxis de esa función. Introduzca la letra **m**.

6. Aparece la lista **Autocompletar**, donde verá todas las funciones cuya inicial coincide con la letra insertada. Al seleccionar las funciones en esta lista, el programa nos muestra una breve

Puede activar o desactivar la función **Autocompletar** desde la ficha Fórmulas del cuadro de opciones de Excel o bien hacer desaparecer la lista de funciones pulsando la combinación de teclas **Alt.+tecla de dirección hacia abajo** en el modo de edición de la fórmula.

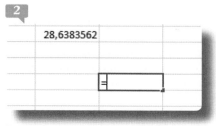

Recuerde que en Excel una fórmula siempre debe ir precedida del signo =.

045

descripción de la operación que realiza. Haga clic sobre la función **M.C.M** (Mínimo común múltiplo).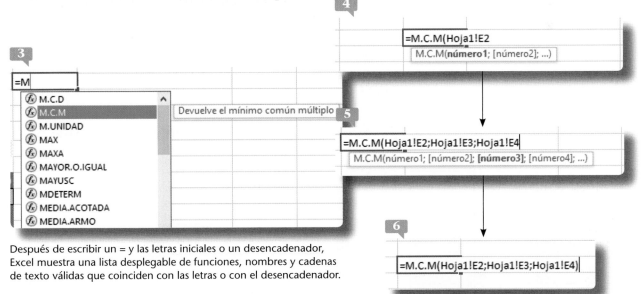

7. Para seleccionar e insertar esta función, haga doble clic sobre ella.

8. Aparecerá una etiqueta que muestra sintaxis correcta de la función, cuyos argumentos serán todos los números cuyo mínimo común múltiplo queremos calcular. Seleccione la celda que actuará como primer argumento de la función pulsando sobre ella.

9. Como indica la etiqueta informativa, los argumentos de la función deben estar separados por el signo punto y coma y cerrados entre paréntesis. Inserte el signo ; y seleccione la celda que actuará como segundo argumento de la función.

10. Inserte otro punto y coma y seleccione una tercera celda.

11. Ya sabe que, al introducir una función, no hay que olvidar escribir su paréntesis de cierre, el corchete de cierre para una referencia de tabla o bien las comillas de cierre para una cadena de texto MDX. Inserte un paréntesis de cierre y pulse **Retorno** para confirmar la entrada de la función.

12. Para acabar, guarde los cambios pulsando el icono **Guardar** de la **Barra de herramientas de acceso rápido**.

Después de escribir un = y las letras iniciales o un desencadenador, Excel muestra una lista desplegable de funciones, nombres y cadenas de texto válidas que coinciden con las letras o con el desencadenador.

Verá que al cerrar el paréntesis y completar la función, tal y como indica la etiqueta de Autocompletar, esta ayuda desaparece, confirmando que el formato de la función es correcta. Si no lo fuese la etiqueta se mantendría visible.

Analizar datos al instante

RELACIONADA CON LA FUNCIÓN DE FORMATO condicional de celdas y con las funciones de creación de tablas y gráficos, Excel 2013 ofrece una nueva herramienta de análisis de datos instantáneos que permite convertir los datos en un gráfico o tabla en muy pocos pasos así como obtener una vista previa con formato condicional, minigráficos o gráficos. .

1. La nueva herramienta de análisis rápido de datos aparece al seleccionar un rango de celdas con datos. Empezamos, pues, llevando a cabo esa acción en la hoja 1 del libro **Puntos2.xlsx** con el que estamos practicando en estos últimos ejercicios. Seleccione, por ejemplo, el rango de celdas **E2:E9**, donde se encuentran los totales de las puntuaciones.

2. El icono de la herramienta **Análisis rápido** aparece en la esquina inferior derecha del rango seleccionado. Púlselo. **1**

3. Se muestra la galería de análisis rápido que se divide en varias pestañas según el resultado que queramos obtener al realizar el análisis (cambio de formato, obtención de gráficos, cálculo de totales y creación de tablas o minigráficos.) Como ve, la primera pestaña, **Formato**, permite resaltar los datos interesantes de un rango mediante la aplicación de un formato condicional sobre las celdas que cumplen determinadas reglas. (Revise

1 Puede mostrar y ocultar el icono **Análisis rápido** pulsando la combinación de teclas **Ctrl.+Q**.

046

el ejercicio dedicado al formato condicional). Sitúe el puntero del ratón sobre la opción **Escala de colores** de esta pestaña y vea el efecto sobre el rango de celdas seleccionado.

4. Con esta opción Excel distingue con diferentes colores los valores altos de los bajos. Sitúe el puntero sobre la opción **Mayores que** y, tras comprobar que quedan resaltados en rojo unos valores determinados, pulse para configurar la regla.

5. Se abre de este modo el cuadro **Es mayor que**, en el que, como recordará, debemos determinar el formato que tendrán las celdas que cumplan el requisito de contener un valor mayor del indicado. Haga doble clic en la celda que muestra el valor numérico e inserte, por ejemplo, el valor **80**.

6. Puede ir comprobando los cambios directamente en el rango seleccionado. Despliegue la lista de opciones de formato de este mismo cuadro y seleccione la opción **Relleno verde con texto verde oscuro**.

7. Acepte la regla pulsando el botón **Aceptar**.

8. Como ve, la nueva función de análisis rápido nos permite distinguir fácil y rápidamente datos mediante la aplicación de formato condicional, así como obtener en pocos pasos representaciones gráficas de dichos datos. Si desea desactivar la función, debe acceder a la categoría **General** del cuadro de opciones de Excel y desmarcar la opción **Mostrar opciones de análisis rápido durante la selección**. Acabe este ejercicio deseleccionando el rango de celdas que ha analizado y guardando los cambios que ha realizado en la hoja.

IMPORTANTE

Debe tener en cuenta que las opciones que aparecen en las diferentes pestañas de la galería de **análisis rápido de datos** pueden variar en función del tipo de datos que contiene el rango seleccionado.

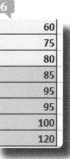

El texto contiene | Valores duplicad...

60
75
80
85
95
95
100
120

25	40	95
45	30	100
50	45	120

Es mayor que

Aplicar formato a las celdas que son MAYORES QUE:

80 | con | Relleno rojo claro con texto rojo oscuro

Relleno rojo claro con texto rojo oscuro
Relleno amarillo con texto amarillo oscuro
Relleno verde con texto verde oscuro
Relleno rojo claro
Texto rojo
Borde rojo
Formato personalizado...

FORMATO | GRÁFICOS | TOTALES | TABLAS | MINIGRÁFICOS

Barras de datos | Escala de colores | Conjunto de iconos | Mayores que | 10% de valores... | Borrar formato

El formato condicional usa reglas para resaltar los datos interesantes.

Opciones de interfaz de usuario

☑ Mostrar **m**inibarra de herramientas al seleccionar
☑ Mostrar opciones de análisis rápido durante la selección
☑ **H**abilitar vista previa activa

Crear gráficos

CON LAS MEJORADAS HERRAMIENTAS GRÁFICAS de Excel 2013, la creación de vistosos y profesionales gráficos es ahora mucho más rápida y sencilla de lo que resultaba en versiones anteriores. En la ficha Insertar de la Cinta de opciones se incluye el grupo de herramientas Gráficos, donde se muestra una vista previa de todos los estilos de gráficos disponibles. Además, el iniciador de cuadro de diálogo de este apartado da acceso al cuadro Crear gráfico, en el que también se muestran, clasificados por categorías, los diferentes estilos.

1. En este primer ejercicio dedicado a los gráficos, aprenderemos a crear uno a partir de una tabla de datos. Seguiremos trabajando con el libro **Puntos2.xlsx**. En primer lugar debe seleccionar el rango de celdas que incluye los datos que va a representar en el gráfico. Haga clic sobre la celda **A1**, pulse la tecla **Mayúsculas** y, sin soltarla, haga clic sobre el celda **E9**. 🔲

2. Haga clic en la pestaña **Insertar** de la **Cinta de opciones**.

3. Como novedad en Excel 2013, disponemos del botón **Gráficos recomendados** en el grupo **Gráficos**, que nos recomienda los estilos de gráfico más adecuados para el tipo de datos que queremos representar. Pulse ese botón. 🔲

	A	B	C	D	E
1	PUNTOS	1 Partida	2 Partida	3 Partida	Total
2	Asensi	20	15	25	60
3	Bonito	25	25	25	75
4	Flores	40	30	10	80
5	Álvarez	10	25	50	85
6	Vera	60	10	25	95
7	Nerín	30	25	40	95
8	Balaguer	25	45	30	100
9	Pérez	25	50	45	120

El primer paso para crear un gráfico consiste en seleccionar el rango de celdas que contienen la información que desea representar.

En Excel 2013 se han mejorado notablemente las herramientas para la creación y edición de gráficos.

Insertar gráfico

Gráficos recomendados | Todos los gráficos

Título del gráfico

Columna agrupada

4. Se abre así el cuadro **Insertar gráfico** mostrando activa la nueva pestaña **Gráficos recomendados** , que nos facilitará el trabajo a la hora de escoger el gráfico que mejor se adapte a nuestros datos. Seleccione el segundo estilo de gráfico recomendado, **Columna agrupada**, y pulse el botón **Aceptar**.

5. Aparece así el gráfico en el centro de la hoja. Los datos que refleja el gráfico se encuentran rodeados de un marco azul en la tabla original. Al mismo tiempo que el gráfico, ha aparecido la ficha contextual **Herramientas de gráficos**, que en esta versión de Excel se ha simplificado para incluir sólo dos subfichas: **Diseño** y **Formato**. Cambiaremos el estilo del gráfico para que sea algo más vistoso. En la subficha **Diseño** haga clic en el comando **Más**, el tercero de los botones de flecha del grupo **Estilos de diseño**.

6. En la galería de estilos de gráficos, pulse sobre uno de los estilos con fondo oscuro para aplicarlo.

7. Ahora aplicaremos uno de los diseños gráficos, en concreto, el que permite mostrar los valores totales sobre las correspondientes barras del gráfico. Haga clic en el comando **Diseño rápido** y, en la galería de diseños que aparece, pulse sobre el primero de la última fila.

8. Deseleccione el gráfico y guarde los cambios.

Ha podido comprobar que la representación gráfica de los datos numéricos de una tabla es una forma agradable e inteligible de visualizar series de datos que pueden resultar densas y aburridas.

En versiones anteriores de Excel, la ficha contextual **Herramientas de gráficos** estaba compuesta por tres subfichas. En Excel 2013, ese número se ha reducido a dos para que resulte más sencillo encontrar lo que se busca.

Si ninguno de los gráficos recomendados le parece conveniente, acceda a la ficha **Todos los gráficos** del cuadro Insertar gráfico y busque otro tipo.

Columna agrupada

Título del gráfico

Elija un tipo de gráfico, un estilo rápido y un diseño rápido de entre los muchos que le ofrece la galería de Excel 2013.

Editar un gráfico

LAS HERRAMIENTAS DE EDICIÓN DE GRÁFICOS se han mejorado en Excel 2013 para que éstos presenten un aspecto más profesional y para que sea más rápido y sencillo diseñarlos. Como hemos visto en el ejercicio anterior, al seleccionar un gráfico se añade a la Cinta de opciones la ficha Herramientas de gráficos, con cuyas pestañas Diseño y Formato podemos modificar el aspecto de todos los elementos del gráfico, desde las leyendas hasta el fondo.

1. En este ejercicio practicaremos con algunas de las herramientas de edición de gráficos. En la lección anterior usamos la nueva función de gráficos recomendados para crear nuestro gráfico, al que después aplicamos un diseño y un estilo rápidos; empezaremos ahora modificando la leyenda. Haga clic sobre el gráfico para seleccionarlo.

2. Otra de las novedades que presenta Excel 2013 con relación a los gráficos son los botones de ajuste que aparecen a su derecha y que nos permiten agregar, quitar o cambiar elementos, establecer un estilo y filtrar los datos que serán visibles. Para cambiar la ubicación de la leyenda, pulse el botón de ajuste que muestra un signo +, haga clic en la opción **Leyenda** en la lista de elementos que aparece y elija la opción **Izquierda**. 🔲1

Este menú nos permite modificar la ubicación de la leyenda que, por defecto, es a la derecha del área del gráfico.

1

3. Seguidamente, aplicaremos un relleno de fondo a la leyenda. Pulse en el botón de punta de flecha de la opción **Leyenda** y elija esta vez **Más opciones**. 🔲2

2

ELEMENTOS DE GRÁFICO
- ☑ Ejes
- ☐ Títulos de ejes
- ☑ Título del gráfico
- ☑ Etiquetas de datos
- ☐ Tabla de datos
- ☐ Barras de error
- ☑ Líneas de la cuadrícula
- ☑ Leyenda ▶
  - Derecha
  - Arriba
  - Izquierda
  - Inferior
  - Más opciones...
- ☐ Línea de tendencia

ELEMENTOS DE GRÁFICO
- ☑ Ejes
- ☐ Títulos de ejes
- ☑ Título del gráfico
- ☑ Etiquetas de datos
- ☐ Tabla de datos
- ☐ Barras de error
- ☑ Líneas de la cuadrícula
- ☑ Leyenda ▶
  - Derecha
  - Arriba
  - Izquierda
  - Inferior
  - Más opciones...
- ☐ Línea de tendencia

048

4. La leyenda se selecciona en el gráfico y ya se encuentra lista para ser editada desde el completo panel **Formato de leyenda** que aparece a la derecha del área de trabajo. Pulse sobre el primer icono de este panel, correspondiente a la herramienta **Relleno y línea**, y despliegue la opción **Relleno**.

5. Este comando nos permite aplicar un color de fondo sólido o bien una imagen, un degradado o una textura. Active la opción **Relleno sólido**, pulse en la muestra de color y elija el que prefiera como fondo para la leyenda. **3**

6. Para aplicar al elemento seleccionado un efecto (sombra, resplandor o reflejo) haga clic en el segundo icono, **Efectos**, muestre los efectos de Iluminación y elija uno de los prestablecidos del grupo **Variaciones de iluminado**. **4**

7. Puede seguir modificando la leyenda en cuanto al relleno, el contorno y la ubicación del texto si activa la sección **Opciones de texto** del panel **Formato de leyenda**. Por el momento, cierre dicho panel pulsando el botón de aspa de su cabecera.

8. Deseleccione el gráfico pulsando cualquier celda libre para ver mejor el resultado y guarde los cambios realizados en la hoja pulsando el icono **Guardar** de la **Barra de herramientas de acceso rápido**.

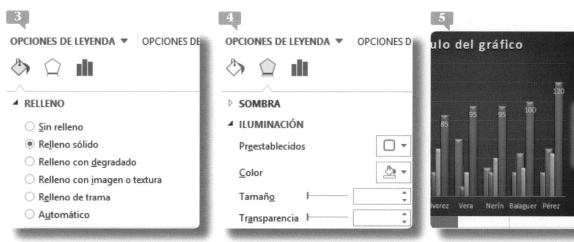

3 También es posible cambiar la ubicación de la leyenda de un gráfico desde la herramienta Agregar elemento de gráfico de la subficha **Diseño** de la ficha contextual Herramientas de gráficos.

4 Recuerde que puede editar la leyenda desde la Cinta de opciones si selecciona ese elemento en el grupo **Selección actual** de la subficha Formato de la ficha contextual Herramientas de gráficos.

5 Con Excel es posible aplicar todo tipo de **efectos** (sombra, resplandor, bisel, reflejo) a casi cualquier elemento de un gráfico.

Cambiar el fondo y el título de un gráfico

LAS HERRAMIENTAS DE GRÁFICOS de Excel 2013 incluyen efectos especiales como 3D, transparencias y sombreados. Los diferentes elementos que componen un gráfico (área del gráfico, leyenda, título, etiquetas de datos, área de trazado) pueden ser modificados tanto desde la ficha contextual Herramientas de gráficos como desde los nuevos botones de ajuste que aparecen al seleccionarlos. Es posible añadir un fondo al gráfico, modificar la ubicación y el estilo de su título, de la leyenda y de las etiquetas y mover el gráfico, entre otras muchas acciones.

1. En este ejercicio añadiremos un fondo personalizado al gráfico y cambiaremos su título. Seleccione el gráfico.

2. Haga clic con el botón derecho del ratón sobre el fondo del gráfico y, del menú contextual que se despliega, elija la opción **Formato del área del gráfico**.

3. Se abre el panel **Formato del área del gráfico** desde el cual podemos modificar el relleno y la línea del área del gráfico y aplicarle sombras y efectos 3D. En este caso, le aplicaremos una textura de fondo. En el apartado **Relleno**, haga clic en el botón de radio **Relleno con imagen o textura**.

4. Como ve, es posible aplicar una textura predeterminada, una que tengamos almacenada en el equipo, o bien una de las imágenes prediseñadas. Pulse el botón del campo **Textura**.

1

✂	Cortar
📋	Copiar
📋	Opciones de pegado:
📋	
📋	Restablecer para hacer coincidir el estilo
A	Fuente...
📊	Cambiar tipo de gráfico...
📊	Guardar como plantilla
📊	Seleccionar datos...
📊	Mover gráfico...
⬜	Giro 3D...
📊	Agrupar
📊	Traer al frente
📊	Enviar al fondo
	Asignar macro...
📊	Formato del área del gráfico...

2

○ Sin relleno
○ Relleno sólido
○ Relleno con degradado
◉ Relleno con imagen o textura
○ Relleno de trama
○ Automático

Puede modificar la anchura del panel de formato mediante el arrastre de su margen izquierdo.

3

Insertar imagen desde

[Archivo...] [Portapapeles] [En línea...]

Textura

Transparencia _____ 0%

☑ Mosaico de imagen como textura

Puede aplicar un relleno sólido, un degradado o un relleno con imagen o textura al fondo de su gráfico. Elija la opción **Relleno con imagen o textura** y vea las texturas disponibles.

5. Haga clic sobre una de las opciones de textura para seleccionarla y compruebe el resultado sobre el gráfico.

6. A continuación, cambiaremos el estilo del título del gráfico. Seleccione ese elemento pulsando directamente sobre él y vea cómo el panel de formato se adapta a la selección mostrando las opciones de edición del título del gráfico.

7. En este caso, sin embargo, modificaremos el título desde la subficha **Formato** de la ficha contextual **Herramientas de gráficos**. Active esa subficha, despliegue la galería de estilos de WordArt y seleccione uno de los predeterminados.

8. Compruebe el efecto conseguido sobre el título del gráfico. Por último, aplicaremos al título un efecto al texto del título, esta vez usando el panel de formato. Active el apartado **Opciones de texto**, pulse sobre el segundo icono, correspondiente a la función **Efectos de texto** y muestre los efectos de reflejo disponibles.

9. Muestre la galería de reflejos preestablecidos y elija la variación que prefiera.

10. Para acabar el ejercicio, cierre el panel Formato del título del gráfico pulsando el botón de aspa de su Barra de título, deseleccione el gráfico pulsando en cualquier celda y guarde los cambios.

IMPORTANTE

En el grupo de herramientas **Selección actual** se encuentra activado el elemento que está seleccionado. Si realiza alguna modificación de formato o estilo, los cambios serán aplicados sobre el área seleccionada.

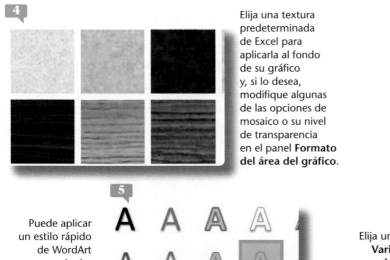

Elija una textura predeterminada de Excel para aplicarla al fondo de su gráfico y, si lo desea, modifique algunas de las opciones de mosaico o su nivel de transparencia en el panel **Formato del área del gráfico**.

Puede aplicar un estilo rápido de WordArt a cualquier elemento de texto de su gráfico (al título, a la leyenda, a los datos, etc.).

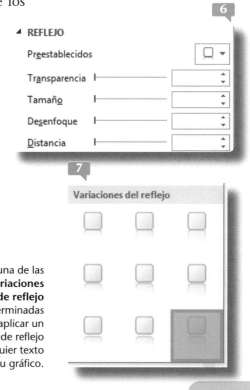

Elija una de las **Variaciones de reflejo** predeterminadas para aplicar un efecto de reflejo a cualquier texto de su gráfico.

Formatear los datos de un gráfico

CADA DATO DE UN GRÁFICO puede ser formateado de forma particular o conjuntamente con toda la serie a la que pertenece. Pulsando una vez sobre un dato se selecciona toda la serie. Con un nuevo clic queda seleccionado únicamente ese dato. Para modificarlo, se utiliza el panel Formato de punto de datos o Formato de series, dependiendo del elemento seleccionado.

1. Para empezar, haga clic sobre una de las columnas de su gráfico y compruebe que, en la hoja de cálculo, queda seleccionada la serie de datos a la que hace referencia.

2. Vuelva a pulsar sobre la porción para que sólo ésa quede seleccionada en el gráfico.

3. Active la subficha **Formato** de la ficha contextual **Herramientas de gráficos** y observe que la información del elemento seleccionado se muestra en el grupo de herramientas **Selección actual**.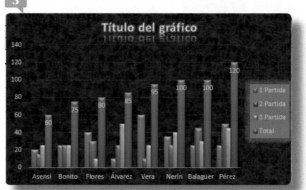

4. En su tabla de datos, haga doble clic sobre el dato correspondiente al elemento seleccionado, modifique su valor y pulse la tecla **Retorno** para aplicar el cambio a su gráfico.

5. Vuelva a seleccionar la serie de datos que acaba de modificar, sitúese en la subficha **Formato** y haga clic en el botón **Aplicar formato a la selección** del grupo **Selección actual**.

6. Se abre el panel **Formato de serie de datos**, desde el que puede modificar aspectos de las porciones como su relleno, su estilo de borde, etc. Para reducir la anchura del intervalo entre

1

Serie "1 Partida" Punto "Nerín"

Aplicar formato a la selección

Restablecer para hacer coincidir el estilo

Selección actual

2

1 Partida	2 Partida	3 Partida	T
20	15	25	
25	25	25	
40	30	10	
10	25	50	
60	10	25	
30	25	40	
25	45	30	
25	50	45	

Cambie alguno de los valores de su tabla de origen y vea cómo se actualiza la serie de datos en el gráfico.

Seleccione primero toda la serie de datos de su gráfico y después únicamente una de las porciones.

elementos, haga clic a la izquierda del botón deslizante del apartado **Ancho del intervalo** hasta colocarlo en un **45%**. ⬛

7. Aplicaremos ahora un efecto tridimensional metalizado a las porciones. Active la sección **Efectos** pulsando en el segundo icono del panel y muestre las opciones de **Formato 3D**.

8. Como puede ver, Excel aplica por defecto un sutil efecto de bisel superior a las series de datos. Mantenga dicho efecto y haga clic en el botón **Material**. ⬛

9. Seleccione con un clic el último material del apartado **Estándar**. ⬛

10. En Excel 2013 también se ha mejorado la edición de las etiquetas de datos de un gráfico. Pulse el botón que muestra un signo + junto al gráfico seleccionado, haga clic sobre la punta de flecha del elemento **Etiquetas de datos** y elija **Más opciones**.

11. Se activa así el panel **Formato de etiquetas de datos**, desde el que ahora es posible mejorar el formato de estos elementos de forma libre manteniéndolos en su lugar incluso si se cambia de tipo de gráfico. También se puede conectar las etiquetas a sus puntos de datos con líneas guía e incluir texto actualizable enriquecido. A modo de ejemplo, cambie la posición de la etiqueta a **Extremo interno**. ⬛

12. Cierre el panel **Formato de etiquetas de datos**, deseleccione el gráfico y guarde los cambios para dar por acabado este ejercicio.

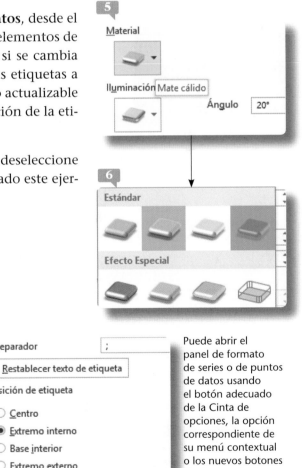

4

◢ OPCIONES DE SERIE

Trazar serie en

◉ Eje principal

○ Eje secundario

Superposición de series   ——┼——   40 %

Ancho del intervalo   ——┼————   75 %

Desde el panel **Formato de serie de datos** puede modificar el relleno y el color y el estilo de borde de la serie de datos así como aplicarle efectos de sombra y tridimensionales.

7

Separador   ;

Restablecer texto de etiqueta

Posición de etiqueta

○ Centro

◉ Extremo interno

○ Base interior

○ Extremo externo

Puede abrir el panel de formato de series o de puntos de datos usando el botón adecuado de la Cinta de opciones, la opción correspondiente de su menú contextual o los nuevos botones de ajustes rápidos.

Añadir y sustituir datos en un gráfico

EXISTEN VARIAS MANERAS DE AÑADIR datos a un gráfico en Excel. Una de ellas consiste en seleccionar la serie a añadir, pulsar el botón Copiar de la ficha Inicio y, finalmente, elegir la opción Pegar después de seleccionar el gráfico. Otra forma de añadir datos consiste en utilizar la función Seleccionar datos de la ficha Diseño de las herramientas de gráficos o del nuevo botón Filtros de gráficos. Por último, también puede seleccionar un rango de celdas vacío para añadirlo al gráfico e ir agregando directamente en la hoja de cálculo los valores; verá como la tabla se va actualizando a medida que esos valores se introducen.

1. En este ejercicio aprenderemos a agregar nuevos datos a un gráfico y a sustituir los existentes. Usaremos como ejemplo el archivo **Puntos3.xlsx**, una actualización en la que hemos añadido una línea a la tabla que también añadiremos al gráfico. Selecciónelo y haga clic en el nuevo botón de ajuste **Filtros de gráficos**, cuyo icono muestra un embudo. 📩

2. Imagine que ha añadido una columna de datos a su tabla de origen y que desea incluirla en el gráfico. Pulse en el vínculo **Seleccionar datos** en el panel que ha aparecido. 📩

3. Desde el cuadro **Seleccionar origen de datos** 📩 podemos agregar nuevos datos al gráfico así como agregar, editar o quitar entradas de leyendas. Manteniendo abierto este cuadro, seleccione el rango de celdas **A1-E10** usando la tecla **Mayúsculas**. 📩

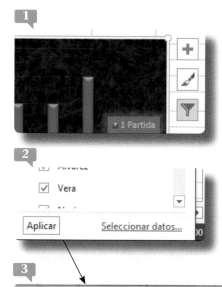

Si necesita minimizar temporalmente el cuadro de diálogo **Seleccionar origen de datos** para seleccionar los datos en la tabla de origen, pulse el icono de contracción que aparece junto al campo Rango de datos del gráfico.

Seleccionar origen de datos

Rango de datos del gráfico: `=Hoja1!$A$1:$E$10`

Cambiar fila/columna

Entradas de leyenda (Series)
Agregar | Modificar | Quitar
- ☑ 1 Partida
- ☑ 2 Partida
- ☑ 3 Partida
- ☑ Total

Etiquetas del eje horizontal (categoría)
Editar
- ☑ Asensi
- ☑ Bonito
- ☑ Flores
- ☑ Álvarez
- ☑ Vera

Celdas ocultas y vacías | Aceptar | Cancelar

También puede acceder a este cuadro usando el botón **Seleccionar datos** de la subficha Diseño de la ficha contextual Herramientas de gráficos.

	A	B	C	D	E
1	PUNTOS	1 Partida	2 Partida	3 Partida	Total
2	Asensi	20	15	25	60
3	Bonito	25	25	25	75
4	Flores	40	30	10	80
5	Álvarez	10	25	50	85
6	Vera	60	10	25	95
7	Nerín	35	25	40	100
8	Balaguer	25	45	30	100
9	Pérez	25	50	45	120
10	Fernández	25	55	50	130
11					

4. Para que el gráfico se actualice y muestre la nueva línea de datos que hemos añadido a la tabla, pulse el botón **Aceptar**.

5. Efectivamente, el gráfico incluye ahora una nueva entrada, correspondiente al nuevo participante. Pulse de nuevo el icono **Filtros de gráficos** y siga el vínculo **Seleccionar datos**.

6. Seleccione ahora el rango de celdas **B1-B10** y pulse el botón **Editar** del apartado **Etiquetas del eje horizontal**. **5**

7. Ahora debemos seleccionar el rango de celdas que contiene los datos que queremos mostrar en las etiquetas. Haga clic sobre la celda **B2**, pulse la tecla **Mayúsculas** y, sin soltarla, haga clic sobre la celda **B10**. **6**

8. Pulse el botón **Aceptar** en el cuadro **Rótulos del eje** y de nuevo **Aceptar** en el cuadro **Seleccionar origen de datos**.

9. Vea cómo se ha actualizado el gráfico correctamente. **7** Veamos ahora cuál es la reacción del programa frente a la eliminación de un dato en la tabla de origen. Seleccione con un clic la celda **B5** y pulse la tecla **Suprimir** para eliminar su contenido.

10. Automáticamente el gráfico se actualiza según la información de origen. Para acabar, desharemos las últimas acciones para dejar los últimos datos de la tabla tal y como estaban. Pulse dos veces el botón **Deshacer** de la **Barra de herramientas de acceso rápido**.

11. Por último, pulse el icono **Guardar** de esa misma barra.

5

Etiquetas del eje horizontal (categoría)

☑ Editar
☑ Asensi
☑ Bonito
☑ Flores
☑ Álvarez
☑ Vera

6

	A	B	C
1	**PUNTOS**	1 Partida	2 Partida	3
2	**Asensi**	20	15
3	**Bonito**	25	25
4	**Flores**	40	30
5	**Álvarez**	10	25
6	**Vera**	60	10
7	**Nerín**	35	25
8	**Balaguer**	25	45
9	**Pérez**	25	50
10	**Fernández**	25	55
11			

Recuerde que para seleccionar un **rango de celdas** debe pulsar sobre la primera y luego sobre la última mientras mantiene presionada la tecla **Mayúsculas**.

7 Si modifica los valores de las celdas que participan en un gráfico, éste se actualizará de manera automática.

1 Partida

| 20 | 25 | 40 | 10 | 60 | 35 | 25 | 25 | 25 |

Guardar un gráfico como plantilla

IMPORTANTE

Además de sus propias plantillas de gráfico personalizadas, puede utilizar otras plantillas como las que le proporcione su empresa o las que le ofrece Microsoft Office Online.

SI HA PERSONALIZADO UN GRÁFICO según sus necesidades o las de su empresa y desea utilizar ese tipo de gráfico en posteriores documentos, puede almacenarlo como plantilla de gráfico (formato .crtx) en la carpeta de plantillas de gráfico de su equipo. Cuando ya no lo necesite, puede eliminarlo de dicha carpeta.

1. En este ejercicio aprenderá a guardar un tipo de gráfico personalizado como plantilla, a recuperarlo y a eliminarlo de la carpeta de plantillas de gráficos. Para empezar, seleccione el gráfico pulsando sobre él.

2. Vuelva a pulsar sobre el gráfico con el botón derecho del ratón y, en el menú contextual que se despliega, haga clic en la opción **Guardar como plantilla**.

3. Se abre así el cuadro de diálogo **Guardar plantilla de gráficos**, mostrando la ruta en la que por defecto se almacenan este tipo de documentos. Escriba el nombre de su plantilla en el campo **Nombre de archivo** y pulse el botón **Guardar**.

4. La plantilla ya se encuentra guardada en la carpeta adecuada de Microsoft. Veamos ahora cómo recuperar esa plantilla para aplicarla a un nuevo gráfico. Abra un nuevo libro de Excel que contenga una tabla de datos (por ejemplo el archivo **Autofiltros** que ya hemos utilizado antes).

5. Seleccione el rango de celdas que quiera representar gráficamente y sitúese en la ficha **Insertar**.

6. Pulse el botón **Gráficos recomendados** del grupo **Gráficos** ▣ y, en el cuadro **Insertar gráfico**, active la ficha **Todos los gráficos.**

7. Recuerde que también puede acceder al cuadro **Insertar gráfico** pulsando en el iniciador de cuadro de diálogo de ese grupo de herramientas. En el panel de categorías de la izquierda seleccione **Plantillas**.

8. Si ha almacenado su plantilla de gráfico en la ruta predeterminada por Excel, ésta debería aparecer en el cuadro. ▣ (En el caso de que la haya guardado en otra ruta, utilice el botón **Administrar plantillas** para localizarla y muévala a la carpeta **Charts**.) Seleccione su plantilla y pulse el botón **Aceptar**.

9. Vea cómo aparece el gráfico con el aspecto personalizado en ejercicios anteriores ▣ y guarde los cambios usando el comando **Guardar** de la **Barra de herramientas de acceso rápido**.

El botón **Administrar plantillas** abre la carpeta en la que se guardan por defecto las plantillas. ▣ Cuando ya no la necesite, selecciónela y pulse la tecla **Suprimir** para eliminarla. Por otro lado, para copiarla a otra carpeta, selecciónela, córtela o cópiela y péguela en la ubicación de destino elegida.

Utilice el botón **Administrar plantillas** para eliminar, mover o cambiar de nombre sus plantillas de gráficos.

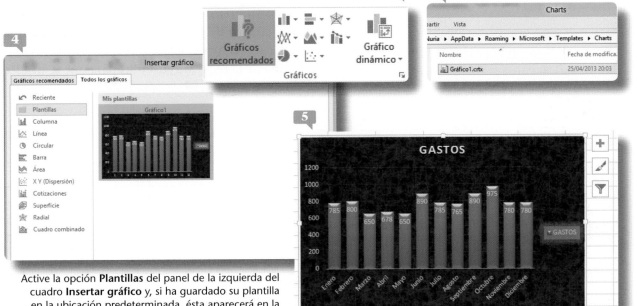

Active la opción **Plantillas** del panel de la izquierda del cuadro **Insertar gráfico** y, si ha guardado su plantilla en la ubicación predeterminada, ésta aparecerá en la ventana **Mis plantillas** y podrá aplicarla al nuevo gráfico.

Crear minigráficos

IMPORTANTE

Recuerde que es recomendable situar los minigráficos en la celda contigua a los datos a los que se refiere.

EXCEL 2013 DISPONE DEL COMANDO MINIGRÁFICOS, que permite crear pequeños gráficos incrustados en una celda de una hoja de cálculo. Los minigráficos ayudan a detectar modelos en los datos introducidos, proporcionando una representación visual de dichos datos. Es posible escribir texto en la misma celda en la cual se inserta el minigráfico.

1. En este ejercicio veremos cómo insertar minigráficos en una hoja de Excel. Seguiremos usando el archivo de ejemplo **Puntos3.xlsx**. Para empezar, haga clic en una celda libre para seleccionarla como destino del minigráfico.

2. Active la ficha **Insertar** de la **Cinta de opciones**.

3. Excel permite agregar minigráficos de tres tipos: lineal, de columnas o de pérdidas y ganancias. En este caso crearemos un minigráfico lineal. En el grupo **Minigráficos**, pulse sobre la opción **Línea**. 🔳

4. Se abre el cuadro de diálogo **Crear grupo Minigráfico**, donde debemos indicar el rango de celdas en el que desea basar el minigráfico. Nuestro objetivo es reflejar la progresión de un jugador durante las tres partidas. Recuerde que, si lo necesita, puede contraer el cuadro de diálogo pulsando los iocnos que aparecen junto a cada campo. Seleccione el rango de celdas **B2-D2** con la ayuda de la tecla **Mayúsculas** para que se inserte en el campo **Rango de datos**. 🔳

	A	B	C	D	T
1	PUNTOS	1 Partida	2 Partida	3 Partida	
2	Asensi	20	15	25	
3	Bonito	25	25	25	
4	Flores	40	30	10	
5	Álvarez	10	25	50	
6	Vera	60	10	25	
7	Nerín	35	25	40	
8	Balaguer	25	45	30	
9	Pérez	25	50	45	
10	Fernández	25	55	50	

053

5. En el campo **Ubicación** verá el nombre de la celda que hemos seleccionado al principio, en la que se colocará el grupo de minigráficos. 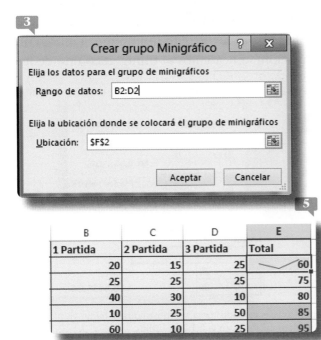 Pulse el botón **Aceptar** para crear el minigráfico.

6. El minigráfico se inserta y se carga la ficha contextual **Herramientas para minigráfico**, cuya subficha **Diseño** permite modificar el aspecto del minigráfico. Probemos a cambiar el minigráfico de celda y ponerlo en una celda con contenido. Seleccione la celda que contiene el minigráfico y haga clic en el botón **Editar datos** del grupo de herramientas **Minigráfico**.

7. Seleccione la opción **Editar ubicación y datos del grupo**.

8. Se abre el cuadro de diálogo **Editar grupo Minigráfico**, donde se muestra seleccionado el contenido del campo Ubicación. Haga clic en la celda correspondiente al valor total del jugador que ha elegido para representar en el minigráfico.

9. El contenido del campo **Ubicación** se habrá modificado indicando la nueva ubicación del minigráfico. Pulse el botón **Aceptar** para ver el resultado.

10. Haga clic en la celda que contiene ahora el minigráfico para comprobar que este elemento no impide utilizar la celda normalmente. **5**

11. Vuelva a colocar el minigráfico en su posición inicial usando el comando **Deshacer** de la **Barra de acceso rápido**. **6**

3

Crear grupo Minigráfico

Elija los datos para el grupo de minigráficos

Rango de datos: B2:D2

Elija la ubicación donde se colocará el grupo de minigráficos

Ubicación: $F$2

Aceptar   Cancelar

4

ARCHIVO   INICIO   INSERTAR   DISEÑO

Editar datos ▾   Línea   Columna   Ganancia o pérdida

Editar ubicación y datos del grupo...

Editar los datos de un minigráfico...

Celdas ocultas y vacías...

Cambiar fila/columna

6

ARCHIVO   INICIO   INSERTA

	B	C	D	E
	1 Partida	2 Partida	3 Partida	Total
	20	15	25	60
	25	25	25	75
	40	30	10	80
	10	25	50	85
	60	10	25	95

Los minigráficos admiten combinaciones de colores a partir de formatos integrados. Al seleccionar la celda que contiene el minigráfico, se carga la ficha contextual **Herramientas de gráficos**, en cuya subficha **Diseño** se encuentran todos los comandos para modificar este elemento.

Personalizar minigráficos

DESPUÉS DE CREAR UN MINIGRÁFICO, es posible controlar qué puntos de valor se muestran (como alto, bajo, primero, último o cualquier valor negativo), cambiar el tipo de minigráfico (Línea, Columna o Ganancia o pérdida), aplicar estilos de una galería o establecer opciones de formato individuales.

1. Para empezar practicaremos con los distintos tipos de minigráfico que ofrece Excel 2013. El grupo de herramientas **Tipo** permite realizar cambios en el tipo de minigráfico después de que éste haya sido creado. Seleccione la celda en la que insertó el minigráfico en el ejercicio anterior y dentro de la ficha contextual **Herramientas para minigráfico** haga clic en el botón **Columna** del grupo **Tipo**.

2. Verá que el minigráfico se ha modificado. Pulse el botón **Ganancia o pérdida** para ver su aspecto y vuelva a seleccionar **Línea** para mantener el formato inicial.

3. Vamos a indicar ahora que se visualicen sobre el gráfico los puntos más altos y los más bajos. En el grupo de herramientas **Mostrar**, haga clic sobre las casillas de verificación de las opciones **Punto alto** y **Punto bajo**.

4. Los cambios realizados se van visualizando sobre el minigráfico. A continuación, aplicaremos al minigráfico uno de los

Los comandos del grupo **Tipo** permiten modificar el tipo de minigráfico ofreciendo tres opciones: **Línea**, **Columna** y **Ganancias y pérdidas**.

Los puntos seleccionados para ser mostrados se harán visibles en el minigráfico, así como en la ficha de estilos.

054

estilos predeterminados que ofrece Excel. Para ello, mantenga la celda que lo contiene seleccionada y en el grupo de herramientas **Estilo**, haga clic sobre el comando **Más** del panel de estilos rápidos. **4**

5. Del panel de opciones que se despliega, seleccione el que más le gusta y haga clic sobre él.

6. Puede observar que el estilo del minigráfico ha cambiado. **5** También es posible realizar cambios de estilo personalizados. Con la celda del minigráfico todavía seleccionada, haga clic en el botón **Color de minigráfico**. **6**

7. Seleccione uno de los colores de la paleta que se despliega, mediante un clic y verá que se aplica automáticamente al minigráfico.

8. También puede modificar los colores de los puntos altos, puntos bajos, etc. Haga clic en el botón **Color de marcador** y seleccione la opción **Punto alto**.

9. Seleccione el color que le interese haciendo clic sobre él.

10. Para acabar, elimine el minigráfico pulsando el botón **Borrar** del grupo de herramientas **Agrupar**. **7**

4

HERRAMIENTAS PARA MINIGRÁFICO

xcel | ATOS REVISAR VISTA | DISEÑO

6

Además de los estilos predeterminados, usted puede crear las combinaciones de colores que desee, personalizando así sus minigráficos. Los comandos **Color de minigráfico** y **Color de marcador** permiten llevar a cabo estas personalizaciones.

5

	C	D	E	F
	2 Partida	3 Partida	Total	
20	15	25	60	
25	25	25	75	
40	30	10	80	
10	25	50	85	
60	10	25	95	
35	25	40	100	140
25	45	30	100	120
25	50	45	120	100
25	55	50	130	

Excel ofrece gran variedad de estilos predeterminados que puede aplicar a sus minigráficos.

7

Para eliminar un minigráfico, seleccione la celda en la que se encuentra y pulse el comando **Borrar** del grupo **Agrupar**.

Crear y editar gráficos SmartArt

LOS DIAGRAMAS PERMITEN LA REPRESENTACIÓN gráfica de muchos tipos de datos. El comando SmartArt, incluido en la ficha Insertar de la Cinta de opciones, abre el cuadro Elegir un gráfico SmartArt, en el que hay que indicar el tipo de diagrama que se quiere añadir. Los diagramas cuentan con una ficha propia en la Cinta de opciones, con herramientas para su edición.

1. En un libro en blanco, seleccione la celda **E5** como destino del gráfico, active la ficha **Insertar** de la **Cinta de opciones** y pulse la herramienta **Insertar gráfico SmartArt** del grupo **Ilustraciones.**

2. En el cuadro **Elegir un gráfico SmartArt** se muestran todos los tipos de diagramas que podemos crear con Excel. En el panel de la izquierda elija la opción **Ciclo.**

3. De los diseños correspondientes a este tipo de diagrama, elija el primero de la tercera fila, **Ciclo radial,** y pulse **Aceptar**.

4. Se inserta el diagrama en la hoja y se abren el **Panel de texto** y la ficha contextual **Herramientas de SmartArt**. En el primer campo de texto del panel escriba el término **Neptuno**.

5. A medida que va escribiendo, va apareciendo el texto en el elemento del diagrama seleccionado. En los siguientes campos de texto escriba **Proteo**, **Nereida**, **Larisa** y **Galatea.**

En el apartado de vista previa podemos ver el aspecto del diseño de gráfico SmartArt seleccionado y una breve descripción del mismo.

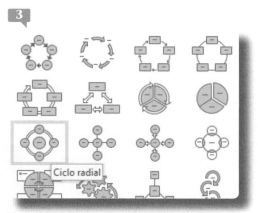

Dentro de cada una de las categorías de diagramas **SmartArt**, Excel ofrece una gran variedad de tipos.

6. Para añadir una forma al diagrama, pulse en la herramienta **Agregar forma** del grupo de herramientas **Crear gráfico**.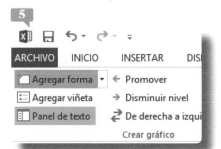

7. Aparece· un nuevo elemento en el diagrama. En función del tipo de diagrama, Excel ofrece la posibilidad de agregar formas detrás, delante, encima o debajo de la seleccionada. En la nueva forma escriba el nombre **Náyade**.

8. Antes de continuar, guarde el libro con el nombre **Diagrama** en la carpeta **Documentos** de su equipo.

9. Cada elemento del diagrama (las formas, el texto, los conectores) puede ser modificado de manera individual con sus propias herramientas de edición desde la subficha **Diseño**. Vamos a cambiar los colores del diagrama. Pulse el botón **Cambiar colores**, del grupo de herramientas **Estilos SmartArt** y escoja una combinación multicolor.

10. Seguidamente, aplicaremos un estilo tridimensional al organigrama. Pulse el botón **Más** de la **Galería de estilos SmartArt** y elija uno de la categoría **3D**.

11. Los comandos de la subficha **Formato** se ajustan al elemento del diagrama seleccionado. Active la subficha, pulse el botón **Relleno de forma** del grupo de herramientas **Estilos de forma** y elija uno de los colores estándar.

12. Despliegue el comando **Efectos de forma**, seleccione la opción **Iluminado** y elija una de sus variaciones.

13. Recuerde que también es posible editar individualmente el texto contenido en los elementos de un diagrama. Deselecciónelo y guarde los cambios.

055

IMPORTANTE

Puede rellenar cada uno de los componentes de su diagrama con colores estándar, con imágenes, con degradados o con texturas. Elija la opción **Sin relleno** para que sean transparentes.

5

El botón **Agregar forma** del grupo de herramientas **Crear gráfico** agrega nuevas formas al diagrama en función del tipo que se esté creando.

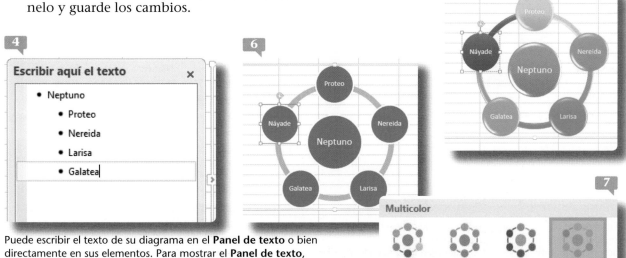

Puede escribir el texto de su diagrama en el **Panel de texto** o bien directamente en sus elementos. Para mostrar el **Panel de texto**, actívelo en el grupo de herramientas **Crear gráfico**.

Insertar encabezados y pies de página

INCLUIDA EN EL GRUPO TEXTO de la ficha Insertar encontramos la herramienta Encabezado y pie de página. Al activarla, la hoja se muestra con la vista Diseño de página y con el encabezado seleccionado y listo para ser editado. A la vez que se añade el encabezado, se muestra la ficha Herramientas para encabezado y pie de página, que nos permite modificar el diseño de estos elementos.

1. En este ejercicio aprenderá a añadir encabezados y pies de página a una hoja de cálculo. Para empezar, active la pestaña **Insertar** de la **Cinta de opciones** y pulse sobre la herramienta **Encabezado y pie de página** del grupo **Texto**.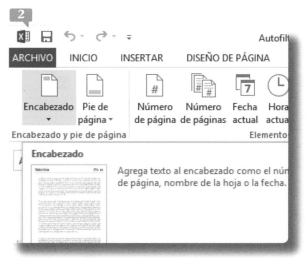

2. Automáticamente cambia el modo de visualización de la hoja y aparece la ficha contextual **Herramientas para encabezado y pie de página**. Con las herramientas que ofrece podemos seleccionar los campos que vamos a incluir en el encabezado o en el pie de página. Observe que el encabezado se muestra ya en modo de edición. Veamos cuáles son los encabezados automáticos que ofrece Excel. Haga clic en el botón **Encabezado** del grupo **Encabezado y pie de página**.

En el grupo de herramientas **Texto** de la ficha Insertar se encuentra la herramienta que permite insertar automáticamente encabezados y pies de página en una hoja de cálculo.

Al agregar un encabezado o un pie de página la hoja se muestra en modo de diseño y aparece una ficha contextual con las herramientas de edición de estos elementos.

3. Como ve, son muchos los elementos que pueden mostrarse en los encabezados y en los pies de página. Entre ellos se encuentran el número de la página, el nombre de la hoja y del libro, la ruta de acceso a éste, etc. Seleccione, por ejemplo, la opción **Confidencial; (fecha); Página 1.**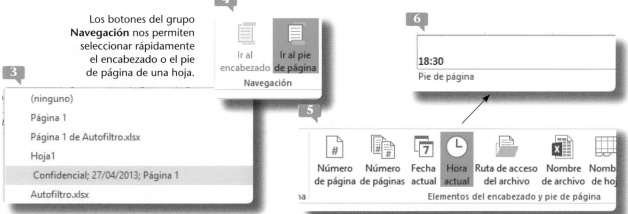

4. Los encabezados y pies de página son textos, y como tales pueden ser editados con las herramientas habituales del programa. Seleccione un elemento del encabezado y active la subficha **Diseño** de la ficha **Herramientas para encabezado y pie de página.**

5. Pulse sobre la herramienta **Ir al pie de página** del grupo de herramientas **Navegación.**

6. Haga clic sobre el botón **Hora actual** en el grupo de herramientas **Elementos del encabezado y pie de página.**

7. Al encontrarse el cuadro de texto seleccionado, no podemos ver la hora actual, sino el nombre de dicho elemento. Para ver el efecto conseguido, haga clic en el cuadro de la derecha del pie de página.

8. Como ve, la creación de encabezados y pies de página no representa dificultad alguna. Haga clic en una celda libre para salir del modo de edición de encabezados y pies de página.

9. Observe que, para poder visualizar los encabezados y pies de página, el programa debe mostrarse en modo **Vista Diseño de página.** Active la vista **Normal** pulsando sobre el primer icono de acceso a vistas de la **Barra de estado** y acabe el ejercicio guardando los cambios realizados.

Al insertar un encabezado o un pie de página, la hoja de cálculo se muestra en la vista **Diseño**. Para recuperar la vista Normal utilice el icono de la Barra de estado.

Los botones del grupo **Navegación** nos permiten seleccionar rápidamente el encabezado o el pie de página de una hoja.

Excel 2013 ofrece un gran número de encabezados y pies de página predeterminados. Elija uno de ellos en el grupo **Encabezado y pie de página**.

En el encabezado y en el pie de página puede insertar elementos como el número de la página, la fecha y la hora actuales, etc.

Insertar imágenes

EXCEL PERMITE INSERTAR IMÁGENES en sus hojas de cálculo. Pueden ser imágenes prediseñadas en línea o imágenes que tengamos almacenadas en el equipo.

1. Seleccione una celda de una hoja en blanco, active la ficha **Insertar** y pulse el botón **Imágenes en línea** del grupo **Ilustraciones**. 🔲

2. Aparece el cuadro **Insertar imágenes** que nos permite buscar imágenes en línea en diferentes ubicaciones (la galería de Office, en Bing, en nuestra cuenta de Flickr o en nuestro espacio de SkyDrive). Haga clic en el campo **Buscar** de la opción **Imágenes prediseñadas de Office.com** y escriba la palabra **hogar**.

3. Pulse el icono de búsqueda para proceder con el rastreo. 🔲

4. El cuadro muestra un gran número de imágenes. Desplácese por la lista de resultados, sitúe el puntero del ratón sobre uno de ellos y haga clic en el icono de lupa que aparece. 🔲

5. La imagen se muestra en un tamaño más grande y podemos ver un resumen de sus propiedades. Pulse el botón **Insertar**. 🔲

6. La imagen se inserta en la hoja a la vez que aparece la ficha contextual **Herramientas de imagen**, con las herramientas necesarias para modificar su aspecto. Practicaremos con ellas

Use el botón **Imágenes en línea** de la ficha Insertar para acceder al panel Insertar imágenes. Inserte una palabra clave para localizar más rápidamente un tipo de imagen específico.

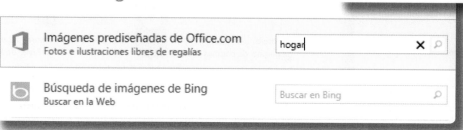

La galería de imágenes prediseñadas de Office incluye un gran número de imágenes organizadas por palabras clave.

Insertar imágenes

Imágenes prediseñadas de Office.com Fotos e ilustraciones libres de regalías	hogar	✕ 🔍
Búsqueda de imágenes de Bing Buscar en la Web	Buscar en Bing	🔍

en el ejercicio siguiente. Ahora veremos cómo insertar imágenes de archivo. Sitúese en una celda en blanco, active la ficha **Insertar** y pulse el botón **Imagen** del grupo **Ilustraciones**. ⁵

7. La ventana **Insertar imagen** muestra, por defecto, el contenido de la carpeta **Imágenes**. Localice la imagen que desea insertar en su hoja (puede usar si lo desea el archivo de ejemplo **Mar.jpg** que encontrará en la zona de descargas de nuestra web) y pulse el botón **Insertar**. ⁶

8. La imagen se inserta en la hoja con sus dimensiones predeterminadas: veamos cómo reducirlas. Podemos hacerlo introduciendo directamente nuevos valores en los campos **Altura** y **Anchura** del grupo **Tamaño** o bien accediendo al panel **Formato de imagen**. Haga clic en el iniciador de cuadro de diálogo del grupo de herramientas **Tamaño**. ⁷

9. En esta ocasión, reduciremos la escala de la imagen proporcionalmente. Haga doble clic en el campo **Alto** del apartado **Tamaño**, inserte el valor **10** y pulse **Retorno**. ⁸

10. Como ve, desde el panel **Formato de imagen** es posible modificar otros muchas características de la imagen (borde, efectos, relleno, etc.) Acabe el ejercicio cerrando este panel, deseleccionando la imagen y guardando el archivo para seguir utilizándolo en el siguiente.

El menú contextual de la imagen incluye una opción para acceder a su panel de formato.

Editar imágenes

LA INCLUSIÓN DE IMÁGENES PERMITE realzar el diseño de las hojas de cálculo, convirtiéndolas en documentos mucho más atractivos y personalizados. Como podrá comprobar, son muchas y variadas las formas de modificar una imagen, las más importantes de las cuales son tratadas en este ejercicio.

1. En primer lugar, procederemos a modificar el brillo y el contraste de una de las imágenes que hemos insertado en el ejercicio anterior, así como su nitidez. Haga clic sobre una de sus imágenes para seleccionarla y mostrar así la ficha contextual **Herramientas de imagen**.

2. Active la subficha **Formato** y pulse en el comando **Correcciones** del grupo de herramientas **Ajustar**.

3. Excel ofrece algunas combinaciones predeterminadas de brillo y contraste con una vista previa. Seleccione con un clic la opción que más le guste del menú que se despliega.

4. Con el botón **Color** de este mismo grupo de herramientas puede colorear la imagen para aplicarle una escala de grises o un tono sepia, por ejemplo. Pulse dicho botón y elija el tono que más le guste.

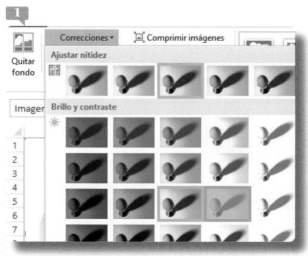

Puede cambiar el brillo, contraste y nitidez de la imagen usando las opciones incluidas en el comando **Correcciones** de la ficha **Herramientas de imagen**.

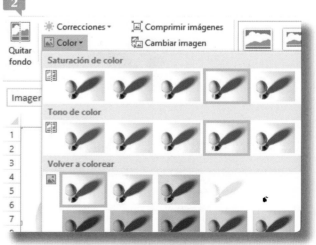

El comando **Color** del grupo de herramientas **Ajustar** despliega un panel que ofrece distintas opciones de color, tono y saturación.

5. Ahora vamos a añadir un marco a la imagen. Haga clic en el comando **Contorno de imagen** del grupo **Estilos de imagen**, pulse sobre la opción **Grosor** y seleccione, por ejemplo, una línea de 6 puntos. [3]

6. Para cambiar el color del borde, vuelva a pulsar en el comando **Contorno de imagen** y elija uno de los colores de la paleta de colores estándar.

7. Seguidamente aplicaremos a la imagen un efecto de bordes suavizados que eliminará el que le acabamos de agregar. Haga clic en el comando **Efectos de la imagen** del grupo **Estilos de imagen**, pulse sobre la opción **Bordes suaves** y elija una de las opciones más suavizadas para ver mejor la diferencia.

8. Ahora seleccione el comando **Quitar fondo** del grupo de herramientas **Ajustar**. [4]

9. Automáticamente se activa la pestaña **Eliminación del fondo**, al tiempo que parte de la imagen queda cubierta por una capa fucsia. [5] Ésta será la parte que se eliminará. Seleccione el comando **Marcar las área para mantener**.

10. El puntero del ratón se convierte en un lápiz, con el que puede seleccionar las áreas de la imagen que quiere mantener. Haga clic sobre algunos puntos de la capa fucsia.

11. Observe que aumenta así el área de imagen visible. Pulse el botón **Mantener cambios** y vea el resultado. [6]

12. Acabe el ejercicio deseleccionando la imagen y guardando los cambios realizados en la hoja.

El comando **Quitar fondo** activa la pestaña **Eliminación del fondo**, cuyas herramientas permiten eliminar partes de la imagen y mantener sólo las que nos interesan.

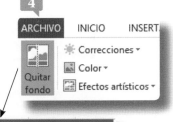

El comando **Contorno de imagen** añade un marco a la imagen.

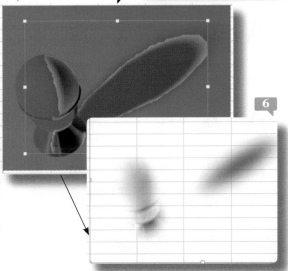

Insertar WordArt

LA FUNCIÓN WORDART ESTÁ PRESENTE EN LA MAYORÍA de las aplicaciones que forman parte de la suite de Office. Se trata de una función de texto y a la vez de diseño. Las formas disponibles en WordArt son estilos de títulos de lo más variados que pueden insertarse en las hojas y, posteriormente, modificarse.

1. Las herramientas necesarias para insertar un texto de WordArt se encuentran en la ficha **Insertar** de la **Cinta de opciones** mientras que las que permiten modificar ese elemento se hallan en la subficha **Formato** de la ficha contextual **Herramientas de dibujo**. Seleccione una celda vacía de su hoja, active la ficha **Insertar** y haga clic en el botón **Insertar WordArt** del grupo de herramientas **Texto**.

2. De la galería de estilos de WordArt que aparece, elija, por ejemplo, el último de la tercera fila.

3. Aparece en el centro de la hoja el texto de ejemplo **Espacio para el texto**, con las propiedades predeterminadas del estilo de WordArt seleccionado. En el lugar indicado, escriba un texto, por ejemplo **Menorca** y selecciónelo con un doble clic.

4. Sitúe el puntero del ratón en uno de los bordes del cuadro de texto. Cuando el puntero cambie de forma y muestre cuatro flechas, haga clic y, sin soltar el botón del ratón, arrastre el

El comando **Insertar WordArt** se encuentra en el grupo de herramientas **Texto** de la ficha **Insertar**. Al pulsar sobre él se despliega una galería de estilos de entre los que puede seleccionar el que prefiera.

Al seleccionar el estilo de WordArt aparece un texto de ejemplo que debe sustituir por el suyo.

texto hasta el lugar que le interese, punto en el que ya puede soltar el botón del ratón.

5. El grupo de herramientas **Estilos de WordArt** permite modificar el color de relleno y contorno del texto y aplicarle efectos especiales; también podemos llevar a cabo estas acciones desde el panel **Formato de forma**. Pulse el iniciador de cuadro de diálogo del grupo **Estilos de WordArt** y, en ese panel, active el primer apartado, **Contorno y relleno de texto**. ▢

6. Despliegue la sección **Relleno de texto**, active la opción **Relleno con degradado** y despliegue la lista de degradados preestablecidos.

7. Seleccione una de las muestras y compruebe el resultado. ▢

8. Ahora aplicaremos al texto un efecto de reflejo. Pulse en el comando **Efectos de texto**, que muestra una **A** con efecto de resplandor, haga clic en la opción **Reflejo** y elija una de las variaciones de reflejo prestablecidas. ▢

9. Por último, elegiremos otro de los estilos de WordArt disponibles. Haga clic en el botón **Más** de la galería de estilos de WordArt y seleccione uno de ellos. ▢

10. Como ve, puede crear textos espectaculares y llamativos con muy poco esfuerzo gracias a la herramienta WordArt. Acabe el ejercicio deseleccionando el texto y guardando los cambios.

En cualquier momento puede **cambiar** un estilo de WordArt por otro accediendo a la galería de WordArt o modificando a su gusto los diferentes elementos del texto.

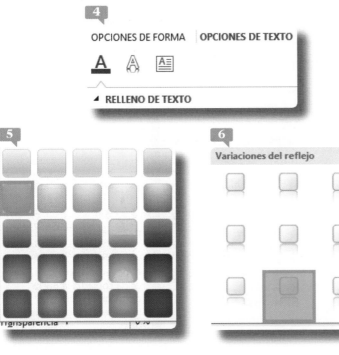

Como si se tratara de una imagen, sobre un texto WordArt puede aplicar efectos como sombras, reflejos, resplandores, biseles, etc. Todos ellos se encuentran en el comando **Efectos de texto** del grupo **Estilos de WordArt**.

Crear y modificar vínculos

IMPORTANTE

Es muy importante aprender a diferenciar entre un objeto o elemento **vinculado** y uno **incrustado**. El objeto incrustado jamás mantiene una conexión con el archivo de origen, de modo que nunca se actualizará ni mostrará las modificaciones que se realicen en el archivo de origen. Éste sería el caso de datos copiados de una hoja a otra sin más.

UN VÍNCULO ES UNA REFERENCIA A OTRO LIBRO, a otra celda o a otro programa. La principal ventaja de los vínculos es que se actualizan. Así pues, entendemos que un objeto vinculado es un objeto creado en un archivo, llamado de origen, que luego se inserta en un archivo de destino manteniendo una conexión entre ambos.

1. En este ejercicio, utilizaremos dos libros distintos: **Puntos3. xlsx** y **Autofiltro.xlsx.** Para empezar asegúrese de que tiene estos dos archivos abiertos y, si no es así, ábralos desde la pestaña **Archivo.**

2. Primero vincularemos una celda de una hoja a otra celda de otra hoja del mismo libro. Seleccione la celda **B2** del libro **Puntos3** y haga clic en el comando **Copiar** del grupo de herramientas **Portapapeles** de la ficha **Inicio.** 1️⃣

3. Cree una cuarta hoja en el libro y seleccione la celda **B1**.

4. Ahora debemos acceder a las opciones de pegado. Despliegue el comando **Pegar** y, de la lista de opciones de pegado que aparece, seleccione la opción **Pegar vínculo**, el segundo icono de la sección **Otras opciones de pegado.** 2️⃣

5. Observe la **Barra de fórmulas:** 3️⃣ aparece el nombre de la hoja y la celda de origen a la que acabamos de vincular la celda seleccionada. Para vincular celdas de distintas hojas de

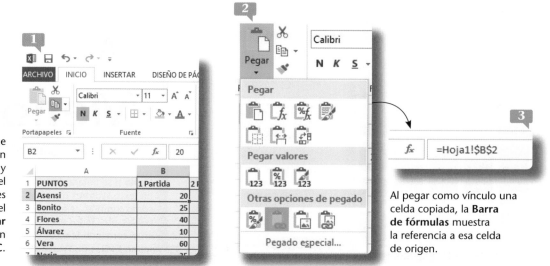

Seleccione una celda con contenido y cópiela en el Portapapeles usando el comando **Copiar** o la combinación de teclas **Ctrl+C**.

Al pegar como vínculo una celda copiada, la **Barra de fórmulas** muestra la referencia a esa celda de origen.

un mismo libro debemos construir la fórmula refiriéndonos a la celda de la otra hoja con la siguiente sintaxis: **nombredelahoja!referenciadelacelda**. Vamos a comprobar si realmente hemos vinculado las hojas. Active la **Hoja1** haciendo clic en su etiqueta.

6. Ahora modificaremos el valor de la celda de origen para ver si la celda vinculada de destino actualiza su contenido. Haga doble clic sobre la celda **B2**, escriba el valor **35** y pulse **Retorno**.

7. Active de nuevo la **Hoja4** y observe la celda vinculada.

8. Su contenido es el mismo que el de la celda de origen. Seguidamente, vamos a vincular una celda de este libro con otra de otro libro. Haga clic en la pestaña **Vista**, pulse el botón **Cambiar ventanas** y active el libro **Autofiltro** pulsando sobre su nombre.

9. Haga clic sobre la celda **B2** y cópiela mediante la combinación de teclas **Ctrl+C**.

10. Volveremos al libro **Puntos3**. Despliegue de nuevo el comando **Cambiar ventanas** y pulse sobre este libro.

11. Pegaremos como vínculo el contenido copiado. Para ello active la ficha **Inicio**, despliegue el comando **Pegar** y elija la opción **Pegar vínculo**.

12. Observe ahora la **Barra de fórmulas** y, si lo desea, compruebe que las dos celdas están vinculadas accediendo al otro libro y modificando en él la celda de origen. Para acabar pulse la tecla **Esc** para vaciar el Portapapeles y guarde los cambios.

	A	B	
	PUNTOS	1 Partida	2 Pa
	Asensi	35	
	Bonito	25	
	Flores	40	
	Álvarez	10	
	Vera	60	
	Nerín	35	
	Balaguer	25	
	Pérez	25	
	Fernández	25	

Después de vincular dos celdas de diferentes hojas, modifique el contenido de la de origen y compruebe que el de la celda de destino se actualiza.

Utilice el comando **Cambiar ventanas** de la ficha **Vista** para pasar de un libro a otro cuando tenga varios abiertos.

=[Autofiltro.xlsx]Hoja1!$B$2

Vea la fórmula que aparece en la **Barra de fórmulas** al vincular celdas de diferentes libros.

Crear y seleccionar hipervínculos

LA TÉCNICA DE LOS HIPERVÍNCULOS tan utilizada en las páginas de Internet ha saltado a las aplicaciones de ofimática moderna, como las incluidas en Microsoft Office. Un hipervínculo es un enlace que conecta directamente con otro lugar de un mismo libro o con otro archivo. Este archivo puede estar generado por otra aplicación, de modo que, si se pulsa un hipervínculo de este tipo, al abrirse el archivo también se abrirá automáticamente la aplicación que lo gestiona.

1. Empezaremos creando un hipervínculo en una celda que enlazará con otra de las celdas de esta misma hoja. Seleccione la celda **C3** de la hoja 1 del libro **Puntos3**, active la ficha **Insertar** y haga clic en el botón **Hipervínculo**.

2. Se abre el cuadro de diálogo **Insertar hipervínculo** que, por defecto, muestra el contenido de la carpeta **Mis documentos**. Esta carpeta pertenece a la categoría **Archivo o página web existente**, tal y como se observa en el apartado **Vincular a**. Sin embargo, en nuestro caso trataremos de crear un vínculo entre dos celdas de la misma hoja. Pulse sobre la categoría **Lugar de este documento**.

3. Se muestran ahora las hojas de este libro y puede seleccionar cualquiera de ellas y definir la referencia de la celda con la que desea vincularse. Por defecto, Excel propone la celda **A1** de la

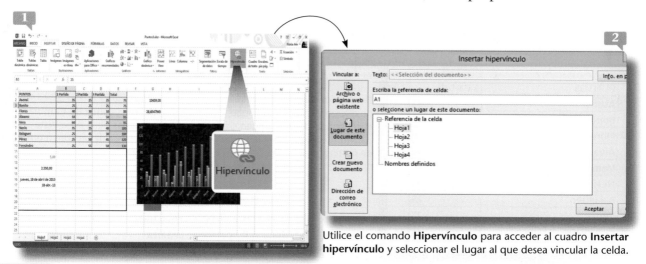

Utilice el comando **Hipervínculo** para acceder al cuadro **Insertar hipervínculo** y seleccionar el lugar al que desea vincular la celda.

061

Hoja1. En el campo **Escriba la referencia de celda** escriba el nombre de una celda y, tras seleccionar una hoja diferente de la activa, ▣ pulse el botón **Aceptar**.

4. Como puede ver, el contenido de la celda seleccionada aparece en color azul y subrayado. Esta característica es propia de los hipervínculos y facilita su identificación. Excel facilita información acerca de los hipervínculos creados y su destino a través de etiquetas emergentes que aparecen al pasar el puntero por encima de los hipervínculos. Compruébelo y pulse después sobre la celda para ir a la de destino. ▣

5. A continuación, crearemos otro tipo de hipervínculo, aquél que enlaza con los datos de un libro distinto al que contiene el enlace. Pulse en la celda **D7** utilizando el botón derecho del ratón y, en el menú contextual que aparece, seleccione la opción **Hipervínculo**. ▣

6. De nuevo en el cuadro de diálogo **Insertar hipervínculo**, haga clic en la categoría **Archivo o página Web existente**, localice y seleccione el archivo **Autofiltro** pulse el botón **Aceptar**. ▣

7. Para comprobar que el nuevo hipervínculo funciona, pulse sobre él, de color azul, para abrir el libro al que está asociado.

Efectivamente, se abre el libro al que ha vinculado la celda. Recuerde que también puede añadir hipervínculos a documentos creados con otras aplicaciones.

3

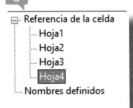

En el cuadro **Insertar hipervínculo**, seleccione la opción **Lugar de este documento**, escriba el nombre de la celda de destino y seleccione la hoja de su libro en la que se encuentra. Podrá ver la ruta completa al situar el puntero del ratón sobre la celda vinculada.

4

	B	C	D	E
1	Partida	2 Partida	3 Partida	Total
	35	15	25	75
	25	25	25	75
				80
				85
				95
	35	25	40	100

file:///C:\Users\Nuria\Documents\Puntos3. xlsx - Hoja4!A1 - Haga clic una sola vez para seguir. Haga clic y mantenga presionado el botón para seleccionar esta celda.

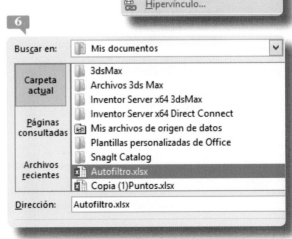

Puede crear hipervínculos a puntos del mismo documento, a otros documentos creados con Excel o con otros programas, o a direcciones de correo electrónico.

Insertar objetos vinculados

POR OBJETO SE ENTIENDE CUALQUIER ELEMENTO, ya sea un archivo de texto, de audio, una imagen, etc. El hecho de insertar un objeto vinculado implica que éste se modificará automáticamente en el archivo de destino cada vez que sufra cualquier tipo de cambio en su ubicación de origen.

1. En este ejercicio insertaremos un objeto vinculado en una hoja de cálculo. En concreto, trabajaremos con un documento de texto, llamado **Odisea.docx**, que puede descargar desde nuestra página web. Cuando disponga del archivo en cuestión guardado en su equipo, haga clic en una celda vacía del libro **Autofiltro**, active la pestaña **Insertar** y pulse sobre el comando **Objeto**, del grupo de herramientas **Texto**. 🔲

2. El cuadro de diálogo **Objeto** presenta dos fichas. La ficha **Crear nuevo** muestra una serie de tipos de archivos que el usuario puede escoger. Una vez seleccionada cualquiera de estas opciones, Excel abrirá la aplicación correspondiente para crear desde cero el tipo de archivo seleccionado. En nuestro caso, vincularemos un archivo ya existente. Pulse sobre la pestaña **Crear de un archivo**. 🔲

3. Ahora procederemos a buscar el archivo que deseamos vincular. Para ello, pulse el botón **Examinar**. 🔲

Acceda al cuadro de diálogo **Objeto** usando el botón del mismo nombre del grupo de herramientas **Texto**, en la ficha **Insertar**. Después, sitúese en la ficha **Crear de un archivo** de este cuadro y use el botón **Examinar** para localizar el archivo que va a incrustar.

136

4. Excel abre el cuadro **Examinar** mostrando el contenido de la carpeta **Documentos**. Localice y seleccione el archivo **Odisea. docx** y pulse el botón **Insertar**. 🔳

5. De vuelta en el cuadro de diálogo **Objeto**, dentro del espacio reservado al nombre de archivo figura la ubicación del documento seleccionado. Ahora debe asegurarse de que este objeto se vincule a su archivo de origen. Para ello, marque la casilla de verificación de la opción **Vincular**. 🔳

6. La opción **Mostrar como icono** hace que el objeto se inserte en forma de icono. Mantenga esa opción desactivada y pulse el botón **Aceptar**.

7. El archivo vinculado se ha insertado en la celda seleccionada del libro abierto. 🔳 Observe que al mismo tiempo se ha activado la ficha contextual **Herramientas de dibujo**, lo que nos indica que el objeto se ha insertado como dibujo. Guarde los cambios pulsando el icono **Guardar** de la **Barra de herramientas de acceso rápido**.

Puede completar el ejercicio abriendo el documento que ha insertado como objeto en su hoja de cálculo y realizando alguna modificación en él para comprobar que los cambios se actualizan automáticamente.

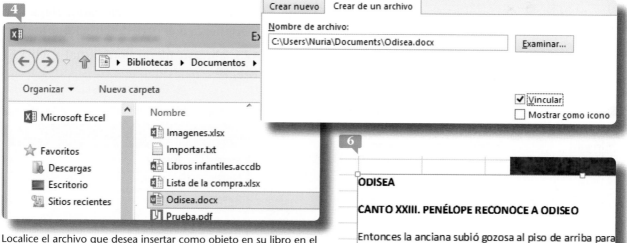

Localice el archivo que desea insertar como objeto en su libro en el cuadro **Examinar** y active la opción Vincular para que los cambios realizados en el original se reflejen en el objeto insertado.

Compruebe que el objeto se inserta correctamente, abra el original, realice algún cambio sencillo y vea cómo se actualiza automáticamente el objeto vinculado.

Crear y usar rangos

UN RANGO ES UN CONJUNTO DE CELDAS consecutivas o separadas dentro de la hoja de cálculo. La creación de rangos y la asignación de nombres a los mismos son operaciones de gran utilidad en la creación de fórmulas. El nombre del rango pasa a ser un operando más que incluye el contenido de todas sus celdas.

1. Haga clic en la celda **A1** de la hoja 1 del libro **Puntos3**, pulse la tecla **Mayúsculas** y, sin liberarla, seleccione la celda **D6**. 🔲1

2. Para dar nombre a un rango podemos usar la opción **Asignar nombre a un rango** de su menú contextual o la herramienta del mismo nombre de la ficha **Fórmulas**. Actívela y pulse el botón **Asignar nombre** del grupo **Nombres definidos**. 🔲2

3. En el cuadro **Nombre nuevo** 🔲3 indicaremos el nombre del rango, el ámbito al que pertenece y las celdas a las que hace referencia. En el campo **Nombre** escriba el término **eliminados** y pulse **Aceptar**.

4. En el cuadro de nombres aparece el nombre **eliminados** 🔲4 ya que dicho rango todavía permanece seleccionado. Haga clic en una celda que no pertenezca a él para deseleccionarlo.

5. Seleccione la celda **A25**, abra su menú contextual y elija la opción **Definir nombre**. 🔲5

1

	A	B	C	D	
1	PUNTOS	1 Partida	2 Partida	3 Partida	Tot
2	Asensi	35	15	25	
3	Bonito	25	25	25	
4	Flores	40	30	10	
5	Álvarez	10	25	50	
6	Vera	60	10	25	
7	Nerín	35	25	40	
8	Balaguer				

Puede seleccionar un rango de celdas adyacentes con ayuda de la tecla **Mayúsculas** o bien usando las teclas de dirección.

2

eliminados ▾

Administrador de nombres

📧 Asignar nombre ▾
ƒx Utilizar en la fórmula ▾
📋 Crear desde la selección

4

eliminados ▾ : ✕ ✓ ƒx

3

Nombre nuevo

Nombre: PUNTOS

Ámbito: Libro

Comentario:

Se refiere a: =Hoja1!$A$1:$D$6

Aceptar   Cancelar

En este cuadro podemos incluir un breve comentario que nos ayude, por ejemplo, a identificarlo mejor.

6. De nuevo en el cuadro **Nombre nuevo** vamos a definir las celdas a las que hará referencia el rango. Haga clic en el icono situado a la derecha del campo **Se refiere a**.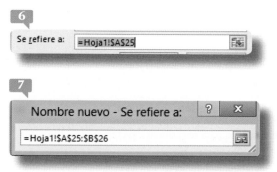

7. El cuadro de diálogo se reduce para que podamos seleccionar directamente en la hoja las celdas adecuadas. Pulse la tecla **Mayúsculas** y, sin soltarla, haga clic en la celda **B26**.

8. Para maximizar el cuadro de diálogo, haga clic nuevamente en el icono situado a la derecha de la combinación de celdas.

9. Ahora haga clic en el campo **Nombre**, escriba, por ejemplo, **ganadores** y pulse **Aceptar** para aplicar el nombre al rango.

10. Para comprobar que ha aplicado el nombre correctamente, pulse la tecla **Mayúsculas** y, sin soltarla, pulse en la celda **B26**.

11. Pulse en la flecha adjunta al **cuadro de nombres** para desplegar la lista de rangos y seleccione el llamado **eliminados**.

12. Estableceremos ahora una fórmula del modo habitual y la misma utilizando rangos. Seleccione una celda vacía, introduzca la fórmula **=E5+E6+E7+F5+F6+F7** y pulse **Retorno**.

13. Ahora crearemos un rango que incluya las celdas que participan en esta fórmula. Pulse la herramienta **Asignar nombre** y, en el campo **Nombre** escriba la palabra **uno**.

14. Pulse en el icono que aparece junto al campo **Se refiere a** para minimizar el cuadro de diálogo, seleccione la celda **E5**, pulse la tecla **Mayúsculas** y, sin soltarla, haga clic en la celda **F7**.

15. Maximice el cuadro **Nombre nuevo** y pulse el botón **Aceptar**.

16. Seleccione otra celda, introduzca la misma fórmula que la anterior del siguiente modo **=SUMA(uno)** y pulse **Retorno**.

17. El resultado es el mismo. Evidentemente, la creación de rangos de celdas facilita la introducción de fórmulas complejas en las que intervienen varias celdas, contiguas o no. Pulse el icono **Guardar** de la Barra de herramientas de acceso rápido.

IMPORTANTE

Excel asigna por defecto como nombre de un rango de celdas el contenido de la primera celda, si éste es de tipo texto.

5

- Formato de celdas...
- Elegir de la lista desplegable...
- Definir nombre...
- Hipervínculo...

8

| ganadores |
| eliminados |
| ganadores |

6

Se refiere a: =Hoja1!$A$25

7

Nombre nuevo - Se refiere a:

=Hoja1!$A$25:$B$26

Minimice el cuadro **Nombre nuevo** para poder seleccionar directamente en la hoja de cálculo el rango de celdas al que va a asignar el nombre.

9

=E5+E6+E7+F5+F6+F7

10

280

=SUMA(uno)

Calcular con funciones

LAS FUNCIONES SON FÓRMULAS PREDEFINIDAS que ejecutan operaciones complejas con una sintaxis establecida. Excel dispone de un gran número de funciones automáticas divididas por categorías, como las matemáticas, lógicas, de texto o de fecha y hora. Toda función consta del nombre, por ejemplo SUMA, y unos argumentos entre paréntesis y separados por punto y coma. Estos paréntesis son imprescindibles incluso en aquellas funciones que no requieren ningún argumento.

1. Sobre el archivo **Puntos3** aplicaremos la función **SUMA** utilizando el cuadro de fórmulas y las ayudas siguientes. Seleccione una celda vacía y pulse sobre la herramienta **Insertar función**, en el grupo de herramientas **Biblioteca de funciones** de la ficha **Fórmulas**.

2. Se abre el cuadro de diálogo **Insertar función** en el que podrá seleccionar la función que más le convenga en cada caso. Elija en esta ocasión la función **SUMA** y pulse el botón **Aceptar**.

3. Excel propone en el cuadro **Argumentos de función** las celdas que deben sumarse. Sitúe el cursor en el cuadro de argumentos **Número1** y, si es necesario, minimice el cuadro pulsando el icono de la flechita roja situado en el extremo derecho de ese campo.

El botón **Insertar función** abre el cuadro de diálogo del mismo nombre. Seleccione en él la función **Suma**, por ejemplo, e inserte el primer argumento en el campo **Número 1**. Si es necesario, minimice el cuadro para seleccionar directamente en su hoja la celda en cuestión.

4. Seleccione una celda con contenido de su hoja, por ejemplo la **E4,** y maximice el cuadro **Argumentos de función**.

5. La referencia de esta celda se ha introducido en el primer recuadro de argumentos. En el segundo campo de argumentos introduciremos un rango. Haga clic en ese campo y escriba el nombre del rango **uno,** creado en el ejercicio anterior. 🔁

6. Al insertar el segundo número, se muestran junto al nombre del rango, los valores que contienen las celdas que lo componen. Pulse el botón **Aceptar**.

7. Por el mismo procedimiento, crearemos una fórmula que multiplique los contenidos de dos celdas. Seleccione una celda vacía y abra el cuadro de funciones pulsando esta vez sobre el icono **Insertar función**, a la izquierda de la **Barra de fórmulas**. 🔁

8. En el cuadro **Insertar función**, pulse sobre la flecha situada a la derecha del cuadro correspondiente a **O seleccionar una categoría** y elija la opción **Matemáticas y trigonométricas**. 🔁

9. En el campo **Seleccionar una función** elija **Producto** 🔁 y haga clic en **Aceptar**.

10. Igual que hemos hecho en la función SUMA, elija una celda para el campo **Número1** y otra para el **Número2**.

11. Pulse sobre el botón **Aceptar** y observe que el contenido de la celda es el resultado de la multiplicación de las dos celdas.

También puede insertar funciones usando las que se encuentran agrupadas por categorías en el grupo **Biblioteca de funciones**.

IMPORTANTE

En la categoría **Financiera** encontramos funciones relacionadas con pagos, precios, rendimientos, amortizaciones, etc., y en la categoría **Lógica** encontramos funciones de verdadero y falso, si o no o error.

Es posible incluir una función como argumento de otra. En ese caso, hablamos de **funciones anidadas**. 🔁

4

Argumentos de función

SUMA

Número1	E4		= 80
Número2	uno		= {85\0;95\0;100\0}
Número3			= número

5

B24 ▾ : ✕ ✓ ƒx |

También puede acceder al cuadro **Insertar función** usando el icono que aparece a la izquierda de la **Barra de fórmulas**.

Insertar función

Buscar una función:

Escriba una breve descripción de lo que desea hacer y, a continuación, haga clic en Ir

O seleccionar una categoría: Usadas recientemente

Seleccionar una función:

SUMA
HOY
PROMEDIO
SI
HIPERVINCULO
CONTAR
MAX

Usadas recientemente
Todo
Financiera
Fecha y hora
Matemáticas y trigonométricas
Estadísticas
Búsqueda y referencia
Base de datos
Texto
Lógica
Información
Ingeniería

SUMA(número1;número2;...)
Suma todos los números en

7

NUMERO.ROMANO
PI
POTENCIA
PRODUCTO
RADIANES
RAIZ
RAIZ2PI

PRODUCTO(número1;número2;...)
Multiplica todos los números especificados como

La lista de funciones se ha ampliado notablemente en Excel 2013.

Calcular con funciones matemáticas

LAS FUNCIONES DE TIPO MATEMÁTICO son las más usadas en la construcción de fórmulas. La mayoría de las tablas usadas en el trabajo habitual en la oficina se construyen utilizando básicamente las funciones Suma y Producto. Cada una de las funciones va acompañada de una explicación aclaratoria de su misión y de una sintaxis establecida paso a paso en el cuadro de ayuda.

1. Veremos en el presente ejercicio ejemplos de uso de algunas funciones matemáticas. Seleccione una celda libre y pulse sobre el botón **Insertar función** de la ficha **Fórmulas**.

2. Pulse el botón de punta de flecha del campo **O seleccionar una categoría** y elija la opción **Matemáticas y trigonométricas**.

3. Localice y seleccione la función **Potencia**  y pulse **Aceptar**.

4. Se abre el cuadro de ayuda que nos facilitará la introducción de funciones. Primero debemos introducir el número que se debe elevar al cuadrado. Reduzca el cuadro de argumentos de función pulsando en el botón situado a la derecha del campo **Número**, seleccione un celda y maximice el cuadro.

5. Veremos el resultado de elevar un número al cuadrado. En el campo **Potencia**, escriba el número **2** y pulse **Aceptar**. **2**

6. El proceso ha terminado y la fórmula está establecida. Para la fórmula siguiente, debemos encontrar una función que redondee una cifra a un cierto número de decimales. Seleccione una celda libre y pulse sobre de nuevo el botón **Insertar función**.

1

Seleccionar una función:

NUMERO.ROMANO
PI
POTENCIA
PRODUCTO
RADIANES
RAIZ
RAIZ2PI

POTENCIA(número;potencia)

Acceda al cuadro Insertar fórmula y seleccione en la lista de categorías **Matemáticas y trigonométricas**.

2

Argumentos de función

POTENCIA

Número	C9	= 50
Potencia	2	= 2

= 2500

Devuelve el resultado de elevar el número a una potencia.

Potencia es el exponente al que desea elevar la base.

En el campo **Número**, donde hemos introducido el nombre de la celda, aparecerá el contenido de esa celda. Un poco más abajo podemos observar el resultado de la operación.

065

7. Use la **Barra de desplazamiento vertical** para localizar la función **Redondear**, selecciónela y pulse el botón **Aceptar**.

8. Seleccione una celda libre de su hoja, por ejemplo la **B12**, para introducirla como primer argumento de la función, pulse en el segundo cuadro de argumento, **Números decimales**, introduzca, por ejemplo, el número **2** y pulse **Aceptar**. 🔳

9. Veamos el funcionamiento de la fórmula. Seleccione la celda que ha establecido como primer argumento (B12) inserte una cifra con tres decimales y pulse la tecla **Retorno**. 🔳

10. En la última fórmula calcularemos el área de un círculo. La fórmula para hacerlo es: $A=\pi.r^2$ (Pi por el radio al cuadrado). Utilizaremos por tanto dos funciones anidadas. Seleccione una celda libre, pulse el botón **Insertar función** de la Barra de fórmulas, localice y seleccione la función **Producto** y pulse el botón **Aceptar**.

11. Imagine que queremos calcular el área de un círculo cuyo radio equivale a 60. Elimine el contenido del campo **Número1** pulsando la tecla **Suprimir** e introduzca el nombre de la celda **B6**, que contiene el valor 60.

12. Escriba un acento circunflejo seguido del número **2**, haga clic en el argumento **Número2**, introduzca la palabra **PI** seguida de dos paréntesis, uno de apertura y otro de cierre y pulse **Aceptar**. 🔳

13. Cuando trabaje por su cuenta y en función del tipo de cálculos que tenga que llevar a cabo podrá comprobar la potencia de las funciones que ofrece Excel 2013. Pulse el botón **Guardar** de la **Barra de herramientas de acceso rápido**.

> **IMPORTANTE**
>
> Algunas de las nuevas funciones matemáticas y trigonométricas que presenta Excel 2013 son **ACOT**, para devolver el arco cotangente de un número, **NUMERO.ARABE**, para obtener un número arábigo a partir de uno romano, **BIT.Y**, para obtener un Y a bit de dos números, y **CEILING. MATH**, para redondear un número hacia arriba al entero más próximo o al múltiplo significativo más cercano.

3

REDONDEAR

| Número | B12 | = 0 |
| Núm_decimales | 2 | = 2 |

El número de argumentos que aparecen en el cuadro **Argumentos de función** depende de la función elegida. Puede introducirlos manualmente o seleccionar las celdas implicadas.

5

4

5,00	3,258		25	2500
		26	3,26
		27	

La función **Redondear** ha redondeado una cifra de tres decimales a sólo dos.

PRODUCTO

Número1	B6^2	= 3600
Número2	PI()	= 3,1415
Número3		= núm

= 11309,

Multiplica todos los números especificados como argumentos.

Utilizar funciones de texto

ALGUNAS FUNCIONES DE TEXTO se limitan a devolver datos referenciados como el código de un carácter (Código) o su inversa (Carácter), que devuelve el carácter correspondiente a un número o código comprendido entre el 1 y el 255; otras resultan muy útiles para realizar búsquedas o contar caracteres (Encontrar, Hallar, Largo y Reemplazar). Finalmente, tenemos las funciones que manipulan un texto según su misión, como Concatenar (une dos cadenas de texto), Mayusc, Minusc y Espacios.

1. Cualquier programa informático trabaja con un mapa de 255 caracteres, cada uno de los cuales corresponde a un número. Con las funciones de texto de Excel, podemos descubrir a qué carácter corresponde cada número y viceversa. Para empezar, seleccione una celda vacía, pulse el icono **Insertar función** de la Barra de fórmulas, active la categoría de funciones de **Texto**, seleccione la función **Código** y pulse **Aceptar**. 🔲

2. En el cuadro **Argumentos de función**, que si desea puede minimizar mediante el icono de contracción, seleccione una celda con contenido de texto y pulse el botón **Aceptar**. 🔲

3. La función devuelve el código correspondiente a la primera letra del texto, en este caso **70**. A continuación, practicaremos con la función **Mayúsculas**. Seleccione una celda vacía y pulse el icono **Insertar función** de la Barra de fórmulas.

1

Buscar una función:

Escriba una breve descripción de lo q| continuación, haga clic en Ir

O seleccionar una categoría: Texto

Seleccionar una función:

CARACTER
CODIGO
CONCATENAR
DECIMAL
DERECHA
ENCONTRAR
ESPACIOS

CODIGO(texto)
Devuelve el número de código del primer carácter del texto caracteres usados por su PC.

2

CODIGO

Texto   A4   = "Flores"

= 70

Devuelve el número de código del primer carácter del texto del juego de caracteres usados por su PC.

Texto   es el texto del que se desea obtener el código del primer carácter.

Resultado de la fórmula = 70

Recuerde que si lo necesita puede usar el icono situado a la derecha de los argumentos para minimizar y maximizar el cuadro **Argumentos de función**.

4. Seleccione la función de texto **Mayúsculas** y pulse el botón **Aceptar**. **3**

5. Seleccione para el campo **Texto** otra celda con contenido textual y pulse **Aceptar**. **4**

6. La celda que incluye la función presenta los mismos caracteres que la seleccionada pero en mayúsculas. **5** Trabajaremos ahora con una nueva función de texto de Excel 2013, la función UNICAR, que devuelve el carácter Unicode al que hace referencia un valor numérico especificado. Seleccione una celda vacía, acceda al cuadro **Insertar función** y localice y seleccione la función de texto indicada.

7. Pulse el botón **Aceptar**.

8. Esta función sólo tiene un argumento obligatorio, el que queremos convertir a carácter Unicode. Introduzca en el campo **Número** el valor (0) y pulse el botón **Aceptar**. **6**

9. Observe el valor que devuelve la celda en la que hemos insertado la función. En este caso, el valor (0) corresponde al valor de error #¨¡VALOR! **7** Elimine el contenido de esta celda y acabe el ejercicio pulsando el icono **Guardar** de la **Barra de herramientas de acceso rápido** para almacenar los cambios realizados en la hoja.

Tenga en cuenta que los resultados de las fórmulas y de algunas funciones de Excel pueden diferir entre un equipo de Windows con arquitectura x86 o x86-64 y un equipo de Windows RT con arquitectura ARM.

La función de texto **Mayúsculas** convierte en mayúsculas una cadena de texto.

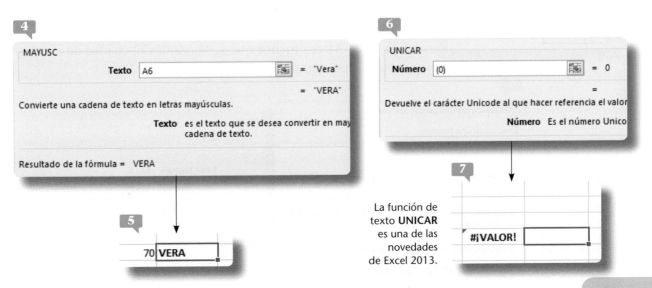

La función de texto **UNICAR** es una de las novedades de Excel 2013.

Utilizar funciones lógicas

LAS FUNCIONES LÓGICAS SON NUEVE. FALSO devuelve el valor lógico falso y VERDADERO, el valor lógico verdadero. La función SI ejecuta una acción si se cumple una condición; la función SI.ERROR devuelve valor si la expresión es un error y el valor de la expresión no lo es. La función NO invierte la lógica de un argumento, la función O devuelve Verdadero si algún argumento lo es y la función Y devuelve Verdadero si todos los argumentos lo son. Por último, la nueva función SI.ND devuelve el valor que se especifica, si la expresión se convierte en #N/A y si no devuelve el resultado de la expresión y la nueva función XO devuelve un O exclusivo lógico de todos los argumentos.

1. Estableceremos una fórmula que nos devuelva el valor Verdadero o Falso de una afirmación. En una hoja en blanco, escriba en las celdas **A1 y A2** los valores **3** y **4** respectivamente, [1] seleccione la celda **B7** y acceda al cuadro **Insertar función**.

2. Puesto que deseamos que los dos argumentos de la afirmación se cumplan al mismo tiempo, utilizaremos la función **Y**. En el cuadro **O seleccionar una función**, elija la categoría **Lógica**, seleccione la mencionada función y pulse en **Aceptar**. [2]

3. Minimice si lo necesita el cuadro de ayuda pulsando en el botón situado a la derecha del campo **Valor_lógico1**, seleccione la celda **A1** y escriba la cadena **<5**.

4. La primera condición que debe cumplirse es que el valor de la celda A1 sea menor que 5. Maximice el cuadro de ayuda y pulse en el campo **Valor_lógico2**.

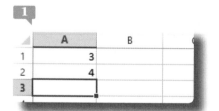

1

	A	B
1	3	
2	4	
3		

2

O seleccionar una _categoría_: Lógica

Seleccionar una _función_:

O
SI
SI.ERROR
SI.ND
VERDADERO
XO
Y

Y(valor_lógico1;valor_lógico2;...)
Comprueba si todos los argumentos son VERDADEROS, y devuelve VERDADERO si todos los argumentos son VERDADEROS.

3

Y

Valor_lógico1   A1<5
Valor_lógico2   A2>2
Valor_lógico3

Tras seleccionar una celda vacía, acceda al cuadro **Insertar función** y seleccione en él la categoría y la función que necesite.

067

5. Minimice el cuadro de diálogo, seleccione la celda **A2**, introduzca la cadena **>2**, maximice el cuadro y pulse **Aceptar**.

6. Como ve, la celda en la que hemos introducido la función presenta el valor **Verdadero**. Veamos qué ocurre si alguno de los valores lógicos establecidos en la función no se cumplen. Seleccione la celda **A1**, escriba el número **6** y pulse **Retorno**.

7. El contenido de la celda B7 presenta ahora el valor **Falso**. Ahora utilizaremos la función **SI**. Seleccione la celda **B8** y pulse el botón **Insertar función** de la Barra de fórmulas.

8. Seleccione la función lógica **SI** y pulse **Aceptar**.

9. Nuevamente las celdas referenciadas serán **A1** y **A2**. Lo único que nos interesa de estas celdas es si el contenido de la primera es mayor que el de la segunda. Estableceremos en el cuadro de argumento esta condición en formato matemático. Inserte la expresión **A1>A2** en el campo **Prueba_lógica**.

10. A continuación, introduciremos el valor que la función debe devolver en caso de que la condición se cumpla. Pulse en el campo **Valor_si_verdadero** y escriba la palabra **correcto**.

11. El siguiente paso consiste en definir el valor que deberá devolver la función en caso de que la condición no se cumpla. Sitúe el cursor en el campo **Valor_si_falso**, inserte la palabra **incorrecto** y pulse **Aceptar**.

12. La condición es verdadera por lo que el valor expresado en la celda B8 es **correcto**. Hagamos una prueba. Seleccione la celda **A1**, introduzca el número **2** y pulse **Retorno**.

13. Vea que aparece el valor **incorrecto** en la celda **B8**. Acabe el ejercicio guardando los cambios realizados en la hoja.

Si no se cumplen las dos condiciones establecidas en la función Y, Excel devuelve el mensaje **Falso**.

En este ejemplo, si se cumple la condición establecida en el campo **Prueba lógica**, es decir, si el valor de la celda A1 es mayor que el de la celda A2, Excel lanzará el mensaje **correcto**, en caso contrario, se mostrará el mensaje **incorrecto**.

Usar referencias

PARA CREAR TABLAS REALMENTE ÚTILES que realicen cálculos por sí solas, éstas deben contener fórmulas que vinculen unas celdas con otras. Las referencias pueden ser relativas (A1), absolutas ($A$1) o mixtas ($A1 o A$1).

1. En la tabla de datos **Puntos3** inserte una columna después de la **E** con su mismo formato; después seleccione la celda **F1**, escriba el texto **1ª Parte** y pulse **Retorno**. 🔲

2. Los datos de esta nueva columna serán el resultado de sumar las dos primeras partidas. Así, en el caso del primer jugador, la fórmula sumará los valores del rango **B2-C2**. Haga clic en la herramienta **Autosuma**, en el grupo Biblioteca de funciones, seleccione la celda **B2**, pulse la tecla **Mayúsculas** y, sin soltarla, haga clic sobre la celda **C2** para crear el rango. 🔲 Después, pulse el botón **Introducir** de la Barra de fórmulas.

3. Nos encontramos en la celda **F2** y podemos ver la fórmula que tiene asignada. El resto de las celdas de la columna **1ª Parte** deberá rellenarse con fórmulas idénticas a ésta, pero con los números de fila correspondientes a cada una. Pulse la combinación de teclas **Ctrl.+C** para copiar en el portapapeles el contenido de esta celda, seleccione la celda inmediatamente inferior a la actual y pulse la combinación de teclas **Ctrl.+V**.

🔲 1

C	D	E	F	G
2 Partida	3 Partida	Total	1ª Parte	
15	25	75		
25	25	75		
30	10	80		
25	50	85		
10	25	95		
25	40	100		
45	30	100		
50	45	120		
55	50	130		

Introduzca la fórmula **=SUMA** seguida del rango de celdas **B2-C2** que, como recordará, puede crear con ayuda de la tecla Mayúsculas.

🔲 2

1 Partida	2 Partida	3 Partida	Total	1ª Parte	
35	15	25	75	=SUMA(B2:C2)	104
25	25	25	75	SUMA(**número1**; [número2]; ...)	
40	30	10	80		28,6
10	25	50	85		

1F x 2C

4. Excel entiende que, al ser referencia relativa copiada una fila más abajo, todas las referencias a filas deben aumentar un número. Seleccione la celda **F4** y pulse de nuevo **Ctrl.+V**. 🔳

5. Queremos que la puntuación de cada jugador se exprese en % sobre el total de puntos de todos los jugadores. Para ello, necesitaremos calcular dicho valor y nombrar una nueva columna en la que se calculen tales porcentajes. Seleccione la celda **G1**, escriba la expresión **% Total** y pulse **Retorno**.

6. A continuación, seleccione la celda **E11**, inserte el texto **Total general** y pulse la **tecla de dirección hacia la derecha**.

7. Ahora introduciremos la función necesaria para obtener el total general de la puntuación de todos los jugadores. En la celda activa inserte la función **=SUMA(E2:E10)** 🔳 y pulse el botón **Introducir**.

8. Empezaremos introduciendo la multiplicación del total de puntos del primer jugador (celda E2) por 100. Haga clic en la celda **G2** y escriba **=E2*100**.

9. Finalizaremos la fórmula dividiendo el total de esta operación por el contenido de la celda **F11**, donde figura el total general de todos los jugadores. Escriba **/$F$11** (el signo del dólar indica que la referencia es absoluta) 🔳 y pulse **Introducir**.

10. Dado que la primera referencia es relativa y la segunda absoluta, si copiamos esta fórmula y la pegamos en otra celda la primera referencia se adaptará a su nueva ubicación, mientras que la segunda permanecerá fija. Pulse la combinación de teclas **Ctrl.+ C** para copiar el contenido de esta celda, seleccione la celda **G3**, pulse la combinación de teclas **Ctrl.+V** y observe la fórmula que aparece en la Barra de fórmulas. 🔳

IMPORTANTE

Las referencias a celdas de otros libros se denominan **vínculos** o **referencias externas**.

4

25	75	50
10	80	70
50	85	
25	95	
40	100	
30	100	
45	120	
50	130	
Total general	=SUMA(E2:E10)	

Esta función sumará el contenido de las celdas comprendidas entre la E2 y la E10, ambas incluidas.

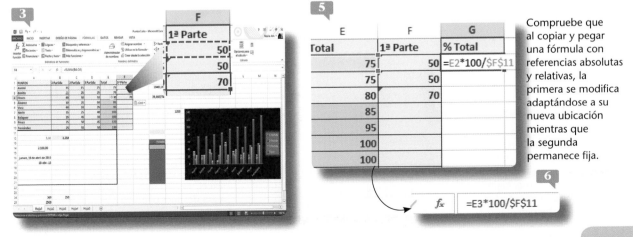

3

5

E	F	G
Total	1ª Parte	% Total
75	50	=E2*100/$F$11
75	50	
80	70	
85		
95		
100		
100		

Compruebe que al copiar y pegar una fórmula con referencias absolutas y relativas, la primera se modifica adaptándose a su nueva ubicación mientras que la segunda permanece fija.

6

f_x =E3*100/$F$11

149

Trabajar con la precedencia

EL TÉRMINO PRECEDENCIA INDICA el orden en que se ejecutan los cálculos en una fórmula si ésta contiene varios operadores. Excel calculará primero las operaciones que se encuentren entre paréntesis y las demás operaciones se ejecutarán en orden según la lista de Prioridad de operadores. Si una fórmula contiene operadores con el mismo orden de precedencia, se calcularán de izquierda a derecha. Recuerde: simplemente debe tener en cuenta el orden en que coloca los operadores y los operandos. Si no está seguro del orden, puede utilizar los paréntesis, incluso si éstos no son necesarios.

1. Continuamos trabajando en el libro **Puntos3**. Seleccione una celda vacía, introduzca la fórmula **=5*4+6** y pulse la tecla **Retorno**. [1]

2. En otra celda libre, introduzca la fórmula **=5*(4+6)** y pulse de nuevo la tecla **Retorno**. [2]

3. La primera fórmula ha multiplicado 5x4 y al resultado le ha sumado 6. La segunda fórmula, en cambio, ha realizado primero la operación situada entre paréntesis y luego ha multiplicado el resultado por 5. De modo que la introducción de los paréntesis en la segunda fórmula ha sido decisiva. A continuación, introduciremos una fórmula que haga referencia a celdas con contenido. En una celda vacía escriba **=B2/C3^2** [3] y pulse **Retorno**.

[3]

		26
		50
	=B2/C3^2	
#¡VALOR!		

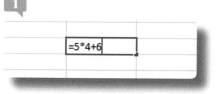

[1]

| | |
| =5*4+6 | |

Los resultados de estas dos operaciones serán diferentes debido a que, como establece la precedencia, Excel ejecuta en primer lugar las operaciones insertadas entre paréntesis.

[2]

| | 26 |
| =5*(4+6) | |

La precedencia también afecta a referencias de celdas. En este caso, según los criterios de precedencia de Excel, se calculará primero el exponente para después dividirlo por el contenido del primer operador.

4. La fórmula introducida divide el contenido de una celda por el contenido de otra elevado al cuadrado. Siguiendo el estricto orden jerárquico de los operadores, el exponencial se ha calculado antes que la división. Si lo que deseamos obtener es el exponencial del resultado de la división, deberemos utilizar los paréntesis. Seleccione la última celda modificada y, en la Barra de fórmulas cambie la fórmula por **=(B2/C3)^2**  y pulse **Retorno**.

5. Evidentemente, el resultado es distinto. Veamos finalmente lo que ocurre cuando los operadores tienen el mismo rango de precedencia. Introduzca la fórmula **=2^2^3** 🔲 en otra celda vacía y pulse la tecla **Retorno**.

6. La operación situada más a la izquierda se ha efectuado primero, ya que 2 elevado al cuadrado es 4 que, elevado al cubo, da como resultado 64. Para comprobar el proceso de cálculo de la operación, escribiremos la misma fórmula anterior alterando el orden. Introduzca la fórmula **=3^2^2** 🔲 en otra celda y pulse la tecla **Retorno**.

7. El resultado es 81 🔲 ya que 3 elevado al cuadrado es igual a 9 que elevado al cuadrado nos da 81. Termine el ejercicio pulsando sobre el icono **Guardar** de la Barra de herramientas de acceso rápido.

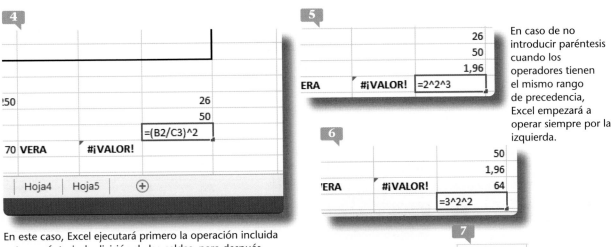

En este caso, Excel ejecutará primero la operación incluida entre paréntesis, la división de las celdas, para después elevar el resultado al cuadrado.

En caso de no introducir paréntesis cuando los operadores tienen el mismo rango de precedencia, Excel empezará a operar siempre por la izquierda.

Celdas precedentes y celdas dependientes

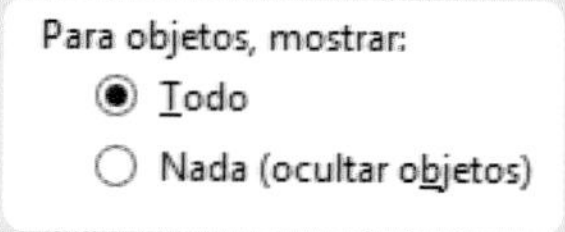

LAS CELDAS PRECEDENTES SON AQUÉLLAS a las que se refieren las fórmulas de otras celdas. Las celdas dependientes son las que contienen fórmulas que se refieren a otras celdas. Suponga que la celda A1 contiene la fórmula =C8; en este caso, la celda C8 sería la celda precedente, mientras que la celda A1 sería la celda dependiente.

1. En este ejercicio conoceremos la utilidad de algunas de los comandos incluidos en el grupo **Auditoría de fórmulas**, en la ficha **Fórmulas** de la Cinta de opciones. Los comandos de ese grupo nos permiten mostrar en la hoja la vinculación entre celdas con fórmulas. Seleccione una celda de su hoja que contenga una fórmula con referencias a otras celdas.

2. Pulse sobre el comando **Rastrear precedentes** del grupo **Auditoría de fórmulas**. 🗨1

3. Automáticamente Excel traza flechas azules que parten de la celda seleccionada y van hasta las celdas de las que ésta depende. 🗨2 Compruebe en la **Barra de fórmulas** cuáles son esas celdas. También es posible llevar a cabo la operación inversa, es decir, mostrar gráficamente las fórmulas a las que nutre una celda con datos, es decir, mostrar las celdas dependientes.

B	C	D	E
10	25	50	85
60	10	25	95
35	25	40	100
25	45	30	100
25	50	45	120
25	55	50	130
			Total general
3,258			

=SUMA(B5:D5)

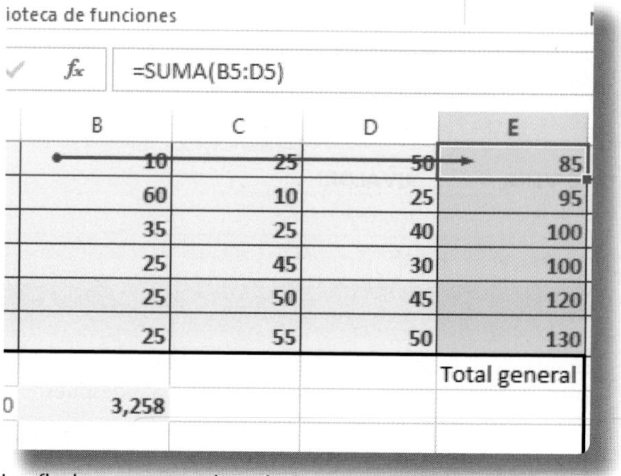

Las flechas muestran las relaciones entre celdas precedentes y dependientes.

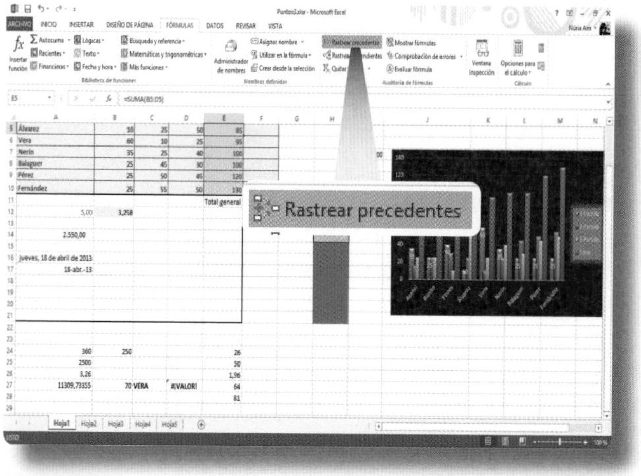

152

070

Haga clic en una de las celdas a la que haga referencia la fórmula de otra celda.

4. Pulse ahora el comando **Rastrear dependientes** del grupo **Auditoría de fórmulas**. [3]

5. En este caso las flechas azules indican las celdas en las que participa la seleccionada. Podríamos comprobarlo pulsando directamente sobre cada una de estas celdas y leyendo la fórmula en la **Barra de fórmulas**, pero, en esta ocasión, utilizaremos otro de los comandos de auditoría de fórmulas. Haga clic sobre el comando **Mostrar fórmulas** del grupo **Auditoría de fórmulas**. [4]

6. Este comando permite mostrar en la hoja las fórmulas de las celdas en lugar de su resultado. [5] Para desactivar el comando **Mostrar fórmulas**, pulse la combinación de teclas **Ctrl+`**.

7. Para acabar, veremos cómo se pueden eliminar las flechas de celdas dependientes y precedentes. Despliegue el comando **Quitar flechas** del grupo **Auditoría de fórmulas**.

8. Este comando incluye las opciones que permiten borrar las flechas por niveles cuando exista más de uno. Haga clic en la opción **Quitar flechas** [6] para borrarlas todas de la hoja.

9. El resto de comandos incluidos en el grupo **Auditoría de fórmulas** nos permiten localizar errores comunes en fórmulas y depurarlas evaluando cada una de sus partes. Para acabar este ejercicio, guarde los cambios pulsando el comando **Guardar** de la **Barra de herramientas de acceso rápido**.

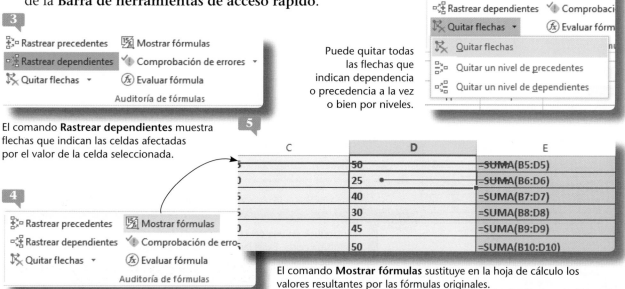

Puede quitar todas las flechas que indican dependencia o precedencia a la vez o bien por niveles.

El comando **Rastrear dependientes** muestra flechas que indican las celdas afectadas por el valor de la celda seleccionada.

El comando **Mostrar fórmulas** sustituye en la hoja de cálculo los valores resultantes por las fórmulas originales.

Calcular con referencias circulares

UTILIZAMOS EL TÉRMINO REFERENCIA CIRCULAR para referirnos al hecho de que una fórmula utilice la celda que la contiene como uno de sus parámetros, ya sea de forma directa o indirecta. Normalmente, una referencia circular produce un error en Excel; sin embargo, es posible desactivar este error y utilizar esta particularidad como un elemento avanzado de cálculo.

1. Para empezar, seleccione la celda **D15** e inserte el valor **5**.

2. Seleccione la celda **D17**, introduzca la fórmula **=D15+D17** y confirme la entrada pulsando sobre el botón **Introducir** de la **Barra de fórmulas**. 🔲1

3. Un mensaje de advertencia le indica que está utilizando una referencia circular, es decir, una fórmula que toma su resultado como parte del cálculo. Pulse el botón **Aceptar**. 🔲2

4. Aparece el término **Referencia circular** seguido del nombre de la celda que la contiene en la Barra de estado. Para poder utilizar las referencias circulares, deberá activar la opción apropiada. Haga clic en la pestaña **Archivo**, pulse sobre el comando **Opciones** y seleccione la categoría **Fórmulas**.

Al introducir en una celda una fórmula en la que uno de los elementos es esa misma celda, Excel lanza un cuadro de advertencia que nos informa de que estamos ante una referencia circular.

071

5. Marque la casilla **Habilitar cálculo iterativo** del apartado **Opciones de cálculo** para desactivar los errores de cálculo circular.

6. Haga doble clic en el campo **Iteraciones máximas**, inserte el número **1** y confirme las modificaciones pulsando el botón **Aceptar**.

7. Al permitir las iteraciones e indicar que sólo se desea realizar una iteración por celda se actualiza el resultado de la fórmula contenida en la celda **D17** con el valor **5**. Seleccione la celda **D15**, introduzca el valor **6** y pulse la tecla **Retorno** para confirmar la entrada.

8. Observe cómo ha afectado la última acción a la celda **D17**. El valor 11 es el resultado de añadir el nuevo contenido de la celda D15 al que ya contenía la celda D17. Hasta aquí todo está funcionando perfectamente. Sin embargo, podemos obtener resultados imprevistos si modificamos el contenido de cualquier celda que no intervenga en el cálculo. Vamos a comprobarlo. Seleccione la celda **E14**, introduzca el número **1** y pulse **Retorno**.

9. Aunque no se haya modificado la celda **D15**, ésta se ha vuelto a sumar a la celda **D17**. Esto ha ocurrido porque al modificar una celda se recalculan todas las fórmulas de la hoja de cálculo. Para aprender a solucionar este problema, deberá consultar la práctica del ejercicio siguiente. Por el momento, guarde los cambios pulsando el botón **Guardar** de la **Barra de herramientas de acceso rápido**.

3

Opciones de cálculo:

Cálculo de libro ⓘ
- ● _A_utomático
- ○ Automático excepto para tablas de _d_atos
- ○ _M_anual
  - ☑ Volver a calcular li_b_ro antes de guardarlo

☑ Habi_l_itar cálculo iterativo
Iteraciones má_x_imas: 100
_C_ambio máximo: 0,001

Trabajo con fórmulas:

- ☐ Estilo de referencia F_1_C1 ⓘ
- ☑ _A_utocompletar fórmulas ⓘ
- ☑ Usar nombres de _t_abla en las fórmulas
- ☑ Usar funciones Get_P_ivotData para referencias a tablas dinámicas

La opción **Habilitar cálculo iterativo** de la categoría **Fórmulas** de las opciones de Excel permite la ejecución de referencias circulares.

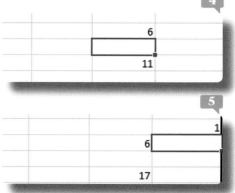

Como puede observar en las imágenes, cada vez que se realiza cualquier cambio en la hoja se recalculan todas las fórmulas, de forma que el contenido de la celda D17 cuya fórmula es =D15+D17 se modifica. Si ahora hiciésemos otro cambio, el resultado de la celda D17 sería 23 (el resultado de 17+6).

Controlar el cálculo automático de las hojas

POR DEFECTO, EXCEL RECALCULA toda la hoja de cálculo cuando se introducen cambios en sus celdas. Este sistema resulta muy útil, ya que evita al usuario tener que forzar el recálculo de la hoja. Sin embargo, en ocasiones, como cuando utilizamos las referencias circulares o cuando el equipo es muy lento, desearíamos que el programa esperara a realizar el cálculo hasta acabar de modificar la hoja. En este ejercicio comprobará que esto se puede lograr sin demasiadas complicaciones.

1. En la hoja utilizada en el ejercicio anterior se producían resultados incorrectos que se debían a la forma en que Excel realiza los cálculos automáticos. En este ejercicio vamos a solucionar este problema. Pulse sobre la pestaña **Archivo** y haga clic en el comando **Opciones**.

2. Sitúese en la ficha **Fórmulas** del cuadro de opciones, marque la opción **Manual** en el apartado **Opciones de cálculo** y confirme el cambio pulsando el botón **Aceptar**. ◀1

3. A continuación, vamos comprobar que ahora no se producen los cálculos automáticos al modificar una celda. Seleccione la celda **E14**, teclee el número **4** y pulse **Retorno**. ◀2

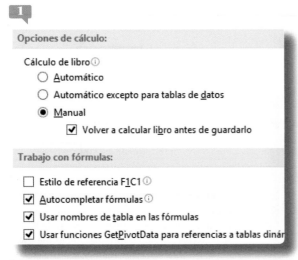

1

Opciones de cálculo:

Cálculo de libro ⓘ
- ○ Automático
- ○ Automático excepto para tablas de datos
- ● Manual
  - ☑ Volver a calcular libro antes de guardarlo

Trabajo con fórmulas:
- ☐ Estilo de referencia F1C1 ⓘ
- ☑ Autocompletar fórmulas ⓘ
- ☑ Usar nombres de tabla en las fórmulas
- ☑ Usar funciones GetPivotData para referencias a tablas dinár

En la ficha **Fórmulas** del cuadro de **Opciones de Excel** active la opción **Manual** para que la actualización de datos en la hoja de cálculo no sea automática, sino manual.

2

			Total general		860
		6		4	
		52			

Compruebe ahora que al modificar los datos en las celdas, las fórmulas no se actualizan automáticamente.

072

4. Compruebe que el contenido de la celda **D17**, en la que se encuentra la fórmula circular, no se ha recalculado. Seleccione la celda **D15**, introduzca el valor **-15** y pulse **Retorno** para confirmar el cambio.

5. No se produce ningún cambio en la celda D17 porque está activado el cálculo manual. Seleccione esa celda y, para forzar el cálculo, pulse la tecla de función **F9**.

6. Probémoslo de nuevo: seleccione la celda **D15**, introduzca el valor **5** y pulse la tecla **Retorno**.

7. Como ya ocurrió en la práctica anterior, nada parece ocurrir con la celda D17. Ahora, confirme que desea recalcular la hoja pulsando la tecla de función **F9**. ■

8. Como puede ver, no es necesario seleccionar la celda en la que se encuentra la fórmula para que se realice el cálculo. Si desea recalcular nuevamente la fórmula sin cambiar el contenido de la celda **D15**, basta con que utilice otra vez la tecla **F9**. Púlsela para recalcular la fórmula de nuevo, sin necesidad de variar el contenido de la celda **D15**.

9. Para acabar el ejercicio active de nuevo la actualización automática en el cuadro de opciones de Excel ■ y pulse el icono **Guardar** de la **Barra de herramientas de acceso rápido** para almacenar los cambios realizados. ■

3

	25	50	45	120
	25	55	50	130
				Total general
00	3,258			
			5	4
13				
13			42	

Si se encuentra activa la opción **Manual** de actualización de datos, deberá ejecutar la acción pulsando la tecla de función **F9**. No es necesario que se encuentren seleccionadas las celdas con fórmulas para que éstas se actualicen al pulsar dicha tecla.

4

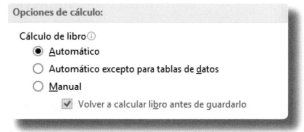

Opciones de cálculo:

Cálculo de libro ⓘ
- ● <u>A</u>utomático
- ○ Automático excepto para tablas de <u>d</u>atos
- ○ <u>M</u>anual
  - ☑ Volver a calcular li<u>b</u>ro antes de guardarlo

Por defecto, Excel realiza el cálculo del libro de manera automática, aunque también dispone de una opción para actualizar automáticamente todos los datos excepto los de tablas.

5

ARCHIVO | INICIO | INSERTAR | DISE

Inspeccionar fórmulas

IMPORTANTE

Use el botón **Eliminar inspección** para borrar las fórmulas que desee desde la ventana Inspección.

[Eliminar inspección]

EL COMANDO VENTANA INSPECCIÓN es otra de las herramientas que forman parte de la Auditoría de fórmulas. Su objetivo es la visualización de la fórmula o fórmulas de una misma hoja de cálculo de modo completo. A través de esta ventana, el usuario recibe información acerca del libro, la hoja y la celda en la que se encuentran las distintas fórmulas e incluso puede ver cuál es su sintaxis y su resultado.

1. Seleccione la celda **E3** de la hoja 1 del libro de ejemplo **Puntos3.xlsx**, que contiene una fórmula.

2. Empezaremos abriendo la denominada **Ventana Inspección** con el fin de visualizar la información correspondiente a la celda seleccionada en este momento. Pulse sobre el comando **Ventana Inspección** incluido en el grupo **Auditoría de fórmulas** de la ficha **Fórmulas**. [1]

3. Para que esta ventana muestre información sobre la fórmula que contiene la celda seleccionada, debemos indicárselo. Pulse el botón **Agregar inspección**. [2]

4. Aparece una nueva ventana indicando la referencia de la celda que nos interesa. Pulse el botón **Agregar** del cuadro **Agregar inspección**. [3]

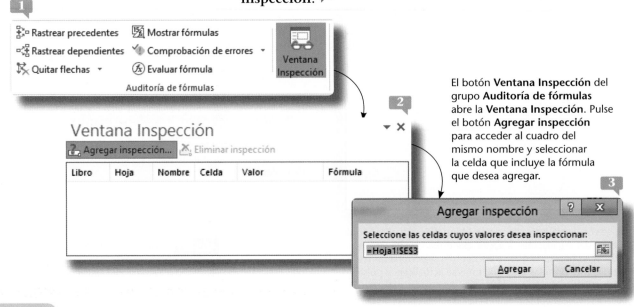

El botón **Ventana Inspección** del grupo **Auditoría de fórmulas** abre la **Ventana Inspección**. Pulse el botón **Agregar inspección** para acceder al cuadro del mismo nombre y seleccionar la celda que incluye la fórmula que desea agregar.

073

5. Automáticamente, la ventana de inspección muestra toda la información referida a la celda seleccionada. A continuación, realizaremos la inspección de todas las fórmulas de la hoja activa. Sitúese en la ficha **Inicio**, despliegue el comando **Buscar y seleccionar** del grupo **Modificar** y seleccione la opción **Ir a**.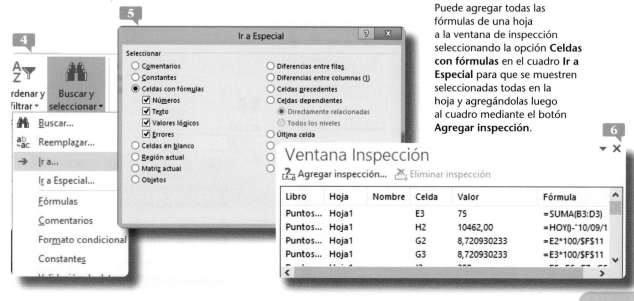

6. En el cuadro de diálogo **Ir a**, pulse el botón **Especial**.

7. A continuación, en el cuadro **Ir a Especial**, active la opción **Celdas con fórmulas** y pulse el botón **Aceptar**.

8. Excel selecciona todas las celdas que contienen fórmulas en la hoja activa. Ahora sólo falta agregarlas a la ventana de inspección. Pulse el botón **Agregar inspección**.

9. El cuadro **Agregar inspección** muestra las referencias de todas las celdas seleccionadas. Pulse el botón **Agregar** para que todas las fórmulas se añadan a la ventana de inspección.

10. Como puede ver, la ventana de inspección muestra todas las fórmulas contenidas en las celdas seleccionadas. De este modo, siempre que se quieran revisar las fórmulas de una hoja de cálculo que presente un número elevado de ellas, podrá realizar su trabajo de forma cómoda, sin necesidad de buscarlas manualmente. Cierre la ventana de inspección pulsando el botón **Cerrar** de su **Barra de título**.

11. Por último, seleccione cualquier celda para eliminar la selección y pulse el botón **Guardar** de la **Barra de herramientas de acceso rápido**.

Puede agregar todas las fórmulas de una hoja a la ventana de inspección seleccionando la opción **Celdas con fórmulas** en el cuadro **Ir a Especial** para que se muestren seleccionadas todas en la hoja y agregándolas luego al cuadro mediante el botón **Agregar inspección**.

Comprobar errores

EL OBJETIVO DEL COMANDO Comprobación de errores es localizar e identificar los errores que a menudo se cometen al introducir fórmulas. También alerta al usuario sobre posibles errores cometidos según el criterio de la aplicación, aunque, en muchos de estos casos, el criterio válido es el del usuario y, por tanto, no hay necesidad de atender a las recomendaciones del programa.

1. En la tabla **Puntos**, introduzca la fórmula =SUMA(B2:C2) en la celda I3 y pulse el botón **Introducir**.

2. La celda con la fórmula que acaba de insertar muestra un triángulo verde en su esquina superior izquierda, indicando así la existencia de un posible error. Pulse sobre la etiqueta inteligente **Comprobación de errores**.

3. Se abre un menú de opciones referentes al error detectado en la fórmula. La primera opción indica el error detectado por Excel. En este caso, el programa considera que esta fórmula omite celdas adyacentes. Imagine que está de acuerdo con la sugerencia del programa y decide modificar la fórmula. Pulse sobre la opción **Actualizar fórmula para incluir celdas**.

4. Como ve, la fórmula se ha modificado al igual que su resultado, al incluirse las celdas que considera correctas. A continuación, inserte en la celda I3 la fórmula =SUMA(B3:C3) y pulse el botón **Introducir**.

E	F	G	H	I
al	1ª Parte	% Total		
75	50	8,72093023	10462,00	
75	50	8,72093023		=SUMA(B2:C2)
80	70		28,6630137	
85				
95				
100				1200
100				
120				

462,00

50

La fórmula omite celdas adyacentes

Actualizar fórmula para incluir celdas

Ayuda sobre este error

Omitir error

Modificar en la barra de fórmulas

Opciones de comprobación de errores...

5. Pulse sobre la etiqueta **Comprobación de errores** y seleccione esta vez la opción **Ayuda sobre este error**.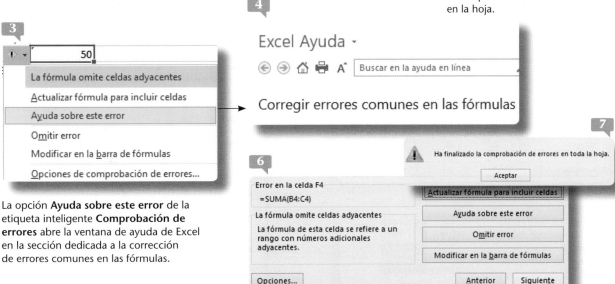

6. Se abre la **Ayuda de Excel** mostrando información acerca de cómo solucionar el error de la celda. Cierre esta ventana pulsando el botón de aspa de su **Barra de título**.

7. Suponga ahora que decide modificar el contenido de la fórmula manualmente, es decir, aplicando usted mismo las variaciones. Abra de nuevo el menú de opciones de la etiqueta inteligente y seleccione la opción **Modificar en la barra de fórmulas**.

8. La celda se pone en modo de edición para que pueda realizar los cambios oportunos. Pulse el botón **Introducir** de la **Barra de fórmulas** para dejar la fórmula tal y como está.

9. Si ejecuta la opción **Omitir error**, la etiqueta de comprobación de errores desaparece y el programa da por buena la fórmula de la celda seleccionada. Pulse sobre la etiqueta inteligente y seleccione la mencionada opción.

10. Por último, ejecutaremos la comprobación de errores usando el comando adecuado. Haga clic en el comando **Comprobación de errores** de la ficha **Fórmulas**.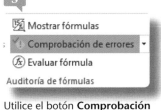

11. Se abre el cuadro **Comprobación de errores** mostrando las mismas opciones que la etiqueta inteligente. Para comprobar si existen más celdas con errores pulse el botón **Siguiente** y cuando ya no encuentre más, pulse **Aceptar**.

Utilice el botón **Comprobación de errores** de la ficha Fórmulas para realizar manualmente la comprobación de errores en la hoja.

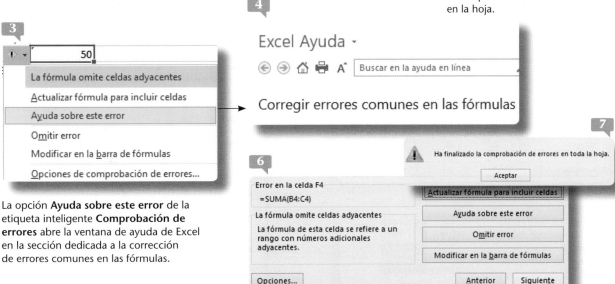

La opción **Ayuda sobre este error** de la etiqueta inteligente **Comprobación de errores** abre la ventana de ayuda de Excel en la sección dedicada a la corrección de errores comunes en las fórmulas.

Crear tablas dinámicas

LOS INFORMES DE TABLAS DINÁMICAS permiten analizar en profundidad series de datos y están diseñados para consultar de diferentes maneras grandes bases de datos, calcular el subtotal, agregar de datos numéricos, resumir datos por categorías y subcategorías, filtrar y ordenar conjuntos de datos y presentar informes electrónicos o impresos profesionales y visualmente atractivos. En Excel 2013 la creación de tablas dinámicas resulta más sencilla y eficaz gracias a una nueva herramienta de recomendación y vista previa.

1. Seguiremos utilizando el libro **Puntos3**. Para empezar seleccione y elimine todas las celdas que no pertenezcan a la tabla y haga que tenga la misma apariencia que la imagen.

2. Seleccione una de las celdas de la tabla, active la ficha **Insertar** de la **Cinta de opciones** y pulse en el nuevo comando **Tablas dinámicas**.

3. Con esta nueva herramienta, Excel 2013 recomienda varias maneras de resumir los datos ofreciendo una vista previa de cada uno de los diseños para que elija el que prefiera. Seleccione el tercer diseño en el cuadro **Tablas dinámicas recomendadas** y pulse el botón **Aceptar**.

	A	B	C	D	E
1	PUNTOS	1 Partida	2 Partida	3 Partida	Total
2	Asensi	35	15	25	75
3	Bonito	25	25	25	75
4	Flores	40	30	10	80
5	Álvarez	10	25	50	85
6	Vera	60	10	25	95
7	Nerín	35	25	40	100
8	Balaguer	25	45	30	100
9	Pérez	25	50	45	120
10	Fernández	25	55	50	130

Para crear una tabla dinámica, los datos que desea representar deben tener encabezados de columna o encabezados de fila y no debe haber filas en blanco.

Tabla dinámica — Tablas dinámicas — Tabla

Tablas

Tablas dinámicas recomendadas

075

4. La tabla dinámica se inserta en una nueva hoja del libro, a la vez que aparece la ficha contextual **Herramientas de tabla dinámica**, desde cuyas subfichas **Analizar** y **Diseño** podemos editar la tabla. 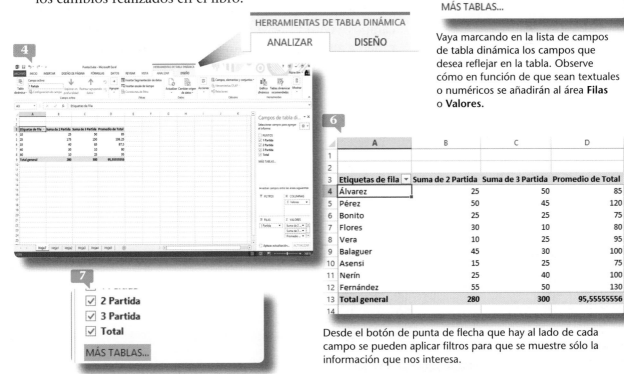 Además, a la derecha del área de trabajo se abre el panel **Campos de tabla dinámica**, donde seleccionaremos los campos que va a mostrar el informe. Pulse sobre la casilla de verificación del primer campo, **Puntos**, para agregarlo al informe. **5**

5. Observe el cambio en la tabla dinámica, que ahora muestra los nombres de los participantes. Desactive el campo **1 Partida** y vea el efecto que se consigue en la tabla. **6**

6. Gracias a la nueva función de recomendación de tablas dinámicas según los datos que se desea representar, la selección de los mismos resulta ahora mucho más sencilla. Sin embargo, también puede usar la función tradicional de creación de tablas dinámicas desde la ficha Insertar o desde el panel Campos de tabla dinámica, pulsando el botón **Más tablas** **7** y seleccionando manualmente los datos que desea representar. Para acabar este primer ejercicio dedicado a la creación de tablas dinámicas, pulse en cualquier celda fuera de la misma para que se oculte el panel **Campos de tabla dinámica** y guarde los cambios realizados en el libro.

5

Campos de tabla di...

Seleccionar campos para agregar al informe:

- ☑ **PUNTOS**
- ☑ **1 Partida**
- ☑ **2 Partida**
- ☑ **3 Partida**
- ☑ **Total**

MÁS TABLAS...

Vaya marcando en la lista de campos de tabla dinámica los campos que desea reflejar en la tabla. Observe cómo en función de que sean textuales o numéricos se añadirán al área **Filas** o **Valores.**

HERRAMIENTAS DE TABLA DINÁMICA

ANALIZAR · DISEÑO

4

6

	A	B	C	D
1				
2				
3	**Etiquetas de fila** ▾	**Suma de 2 Partida**	**Suma de 3 Partida**	**Promedio de Total**
4	Álvarez	25	50	85
5	Pérez	50	45	120
6	Bonito	25	25	75
7	Flores	30	10	80
8	Vera	10	25	95
9	Balaguer	45	30	100
10	Asensi	15	25	75
11	Nerín	25	40	100
12	Fernández	55	50	130
13	**Total general**	**280**	**300**	95,55555556
14				

Desde el botón de punta de flecha que hay al lado de cada campo se pueden aplicar filtros para que se muestre sólo la información que nos interesa.

7

- ☑ **2 Partida**
- ☑ **3 Partida**
- ☑ **Total**

MÁS TABLAS...

Crear tablas dinámicas usando listas de campos

LA LISTA DE CAMPOS SE HA RENOVADO en esta versión de Excel para alojar tablas dinámicas de una o varias tablas y facilita la búsqueda de campos que se desea mostrar en el diseño de las mismas.

1. En principio, el panel **Campos de tabla dinámica** aparece automáticamente cuando se selecciona cualquier celda de una tabla dinámica. Compruébelo con la tabla que creamos en el ejercicio anterior.

2. Si no apareciera, puede mostrarla activando su correspondiente opción en el grupo de herramientas **Mostrar** de la subficha **Analizar**, en la ficha contextual **Herramientas de tabla dinámica**. Como ve, la lista de campos de tabla dinámica cuenta con una sección donde seleccionaremos los campos que queremos reflejar en la tabla dinámica y otra donde dichos campos se pueden organizar mediante la técnica de arrastre. El diseño que muestran estas secciones se puede modificar desde el botón **Herramientas**. Púlselo.

3. Como ve, de manera predeterminada Excel ordena la lista de campos según el origen de datos, pero permite cambiar este orden a alfabético. Para mostrar la sección de campos y la sección de áreas en paralelo, elija la segunda opción del menú que se ha desplegado.

Desde el grupo **Mostrar** puede mostrar y ocultar la lista de campos, los botones y los encabezados de campo.

164

076

4. Como ya vimos en el ejercicio anterior, para agregar y quitar campos basta con activarlos en la lista. Generalmente, los campos no numéricos se agregan al área **Filas**, los numéricos al área **Valores** y las jerarquías de fecha y hora de procesamiento analítico en línea, al área **Columnas**. Active el campo **1 Partida** pulsando en su casilla de verificación.

5. Vea cómo se agrega una nueva columna a la tabla dinámica. Los campos del área **Columnas** se muestran en la tabla como **Etiquetas de columna** en la parte superior; los del área **Filas** corresponden a las etiquetas de filas de la parte izquierda y los del área **Valores** se muestran como valores numéricos resumidos. Como hemos dicho, puede cambiar el orden en que se muestran los campos en la tabla mediante el arrastre. A modo de ejemplo, moveremos la columna **Suma de 1 Partida** que acabamos de añadir. Pulse en la parte inferior de la **Barra de desplazamiento** de la lista de valores, haga clic sobre el último de ellos, correspondiente a la columna en cuestión, y arrástrelo hasta que quede situado en primera posición.

6. Cada campo cuenta con su propio cuadro de configuración, al que se puede acceder tanto desde su menú del panel Campos de tabla dinámica como desde la subficha **Analizar**. Pulse el botón **Configuración de campo** del grupo **Campo activo**.

7. Se abre así el cuadro de configuración en el que podemos asignar un nombre personalizado al campo, elegir el tipo de cálculo que deseamos usar para resumir los datos y el modo en que queremos mostrar los valores. Para acabar el ejercicio, salga de este cuadro pulsando el botón **Cancelar** y guarde los cambios realizados en la hoja.

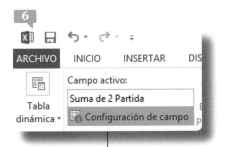

Crear un modelo de datos

OTRA DE LAS INTERESANTES NOVEDADES que presenta Excel 2013 con relación a las tablas dinámicas consiste en la posibilidad de crear tablas dinámicas basadas en varias tablas, operación que antes sólo podía realizarse si se disponía de PowerPivot. Ahora es posible importar diferentes tablas y crear relaciones entre ellas para analizar sus datos.

1. Un modelo de datos es el nuevo método que ofrece Excel 2013 para integrar los datos de varias tablas y generar un origen de datos relacional. En este ejercicio veremos cómo utilizar esta nueva función usando para ello la base de datos de ejemplo **Libros infantiles** que ya empleamos en un ejercicio anterior y que puede encontrar en la zona de descargas. Para empezar, seleccione una celda libre de la hoja actual, active la ficha **Datos** y pulse el botón **Desde Access** del grupo de herramientas **Obtener datos externos**.

2. En el cuadro **Seleccionar archivos de origen de datos**, localice y seleccione la base de datos **Libros infantiles** y pulse el botón **Abrir**.

3. El cuadro **Seleccionar tabla** muestra todas las tablas que incluye nuestra base de datos de ejemplo. Active en este cuadro la opción **Activar seleccione de varias tablas**, marque

las tablas **Precio+IVA** y **Libros infantiles1** y pulse el botón **Aceptar.** [3]

4. Ahora se abre el cuadro **Importar datos**, donde debemos indicar cómo queremos ver los datos en el libro y en qué lugar vamos a situarlos. Las opciones de visualización que permiten trabajar con todas las tablas en conjunto son **Informe de tabla dinámica**, **Gráfico dinámico** y **Generar informes de Power View**. En este ejemplo, mantenga seleccionada la opción **Informe de tabla dinámica**, elija la opción **Hoja de cálculo nueva** y pulse el botón **Aceptar.** [4]

5. Observe el resultado. En una nueva hoja del libro se activan las herramientas para la creación de una tabla de datos dinámica cuyos orígenes de datos son las dos tablas de Access que hemos indicado. Ahora se trata de que seleccionemos los campos de esas tablas que queremos agregar al informe. En el panel **Campos de tabla dinámica** seleccione los campos **Autor**, **Título** y **Edad** de la tabla **Libros infantiles** y el campo **Precio** de la tabla **Precio IVA1.** [5]

6. Vea cómo los campos de las dos tablas se van agregando al informe de tabla dinámica. Una vez generado el informe, puede editarlo normalmente desde las subfichas **Analizar** y **Diseño** de la ficha de herramientas de tabla dinámica, como veremos en el ejercicio siguiente. Oculte el panel **Campos de tabla dinámica** pulsando el botón de aspa de su cabecera.

7. Pulse el icono **Guardar** de la **Barra de herramientas de acceso rápido** para almacenar los cambios realizados en el libro.

Editar tablas dinámicas

LA TABLA DINÁMICA QUEDA VINCULADA a la tabla o a las tablas de las que provienen los datos y la actualización de éstos puede ser manual o automática, según se configure. Además, Excel permite aplicar rápidamente un estilo predefinido también a una tabla o a un gráfico dinámicos.

1. Al crear la tabla dinámica y al encontrarse ésta seleccionada, se muestra la ficha contextual **Herramientas de tabla dinámica**, que incluye las subfichas **Analizar** y **Diseño**. Las herramientas incluidas en esta ficha permiten modificar el aspecto de la tabla dinámica. Veamos cuál es el nombre que Excel asigna por defecto a una tabla dinámica. Haga clic en el botón **Tabla dinámica** de la subficha **Analizar**.

2. Como ve, desde aquí puede editar el nombre de la tabla, que es **Tabla dinámica1** y acceder a sus diferentes opciones. **1** Cierre el grupo de herramientas **Tabla dinámica** pulsando de nuevo en el botón del mismo nombre.

3. Ahora haga clic en el botón de punta de flecha del campo **Etiquetas de fila**, en la tabla dinámica. **2**

4. Este botón nos permite ordenar los campos y aplicar filtros. Imaginemos que sólo queremos mostrar en la tabla los nombres de algunos autores. Haga clic en la casilla de verificación

Puede cambiar el nombre de la tabla en el campo **Nombre de tabla dinámica** del grupo de herramientas **Tabla dinámica**. También desde aquí puede acceder al cuadro de opciones de la tabla.

Pulse el botón de flecha del campo **Etiquetas de fila** para ver las opciones que incluye.

del campo **Seleccionar todo** y después marque las casillas de los que desee mostrar y pulse **Aceptar**. [3]

5. El pequeño icono que aparece a la derecha del campo **Etiquetas de fila** indica que hemos aplicado un filtro. [4] Seguidamente aplicaremos a la tabla un nuevo estilo, más llamativo. Haga clic en la subpestaña **Diseño**.

6. Pulse el botón **Más**, la tercera flecha del grupo **Estilos de tabla dinámica**, para ver otros estilos disponibles.

7. De la galería de estilos rápidos de tablas dinámicas [5] elija, por ejemplo, el tercer estilo del grupo **Medio** y observe el resultado.

8. Además de cambiar el estilo de la tabla, puede modificar los títulos de los campos de valor, ordenar los datos, etc. Para acabar, accederemos al cuadro de opciones de la tabla para ver qué otras opciones de configuración ofrece Excel. Sitúese de nuevo en la subficha **Analizar**.

9. Pulse otra vez el botón del grupo **Tabla dinámica** y haga clic en el comando **Opciones**.

10. Aparece el cuadro **Opciones de tabla dinámica**, [6] a través de cuyas fichas puede definir su diseño y su formato, mostrar u ocultar totales y otros elementos, añadir filtros, determinar el modo en que se imprimirá la tabla y establecer opciones relativas a los datos que contiene. Pulse en la pestaña **Impresión**.

11. Active la opción **Imprimir títulos** y pulse el botón **Aceptar**.

12. Y por último, pulse en cualquier celda libre para deseleccionar la tabla y guarde los cambios usando el comando **Guardar** de la **Barra de herramientas de acceso rápido**.

Aplique a su tabla dinámica uno de los estilos que encontrará en la galería de estilos rápidos.

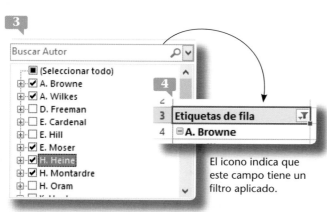

El icono indica que este campo tiene un filtro aplicado.

Utilice el filtro de los rótulos de fila para ocultar y mostrar datos en su tabla.

Traer datos de Windows Azure DataMarket

EXCEL 2013 PERMITE USAR VARIAS TABLAS en el modelo de datos, para lo que es posible, además de conectarse a datos, obtenerlos desde orígenes externos como OData, Windows Azure DataMarket o SharePoint, que proporcionan datos gratuitos.

1. Para empezar este ejercicio dedicado a la descarga de datos desde Windows Azure DataMarket, mostraremos la ficha **PowerPivot** en la **Cinta de opciones** de Excel. Abra un nuevo libro en blanco, pulse en la pestaña **Archivo** y haga clic en **Opciones**.

2. En el cuadro **Opciones de Excel**, active la categoría **Personalizar cinta de opciones**.

3. En la lista de pestañas principales, localice y active la pestaña **PowerPivot** y pulse el botón **Aceptar** para que aparezca en la **Cinta de opciones**. 🔲1

4. En Excel 2013 puede usar este complemento para crear modelos de datos sofisticados. Active la ficha **PowerPivot** y pulse el botón **Administrar** del grupo **Modelo de datos**. 🔲2

5. Aparece ahora la ventana **PowerPivot para Excel** con el libro que hemos creado al principio del ejercicio. Para acceder al servicio de datos Windows Azure DataMarket, pulse el botón **De servicio de datos** del grupo **Obtener datos externos** y elija la opción **De Windows Azure MarketPlace**. 🔲3

La pestaña del complemento **PowerPivot** se incluye dentro de la categoría Pestañas principales en la ficha de personalización de la Cinta de opciones.

1

- ☑ Diseño de página
- ☑ Fórmulas
- ☑ Datos
- ☑ Revisar
- ☑ Vista
- ☐ Desarrollador
- ☑ Complementos
- ☑ POWER VIEW
- ☑ DISEÑAR
- ☑ TEXTO
- ☑ DISEÑO
- ☑ POWERPIVOT
- ☑ Eliminación del fondo

6. Se abre el **Asistente para la importación de tablas**, donde se nos ofrece un amplio catálogo de recursos tanto gratuitos como de pago o de prueba de evaluación. Podemos usar el buscador para localizar datos concretos o bien ir filtrando a través de las opciones del panel de la izquierda. Pulse en el vínculo **Gratuito** del apartado **Precio** 🔲 y luego en la categoría **Ciencia y Estadística**. 🔲

7. Desplácese por la lista de resultados y pulse el botón **Suscribirse** de la tabla **DateStream**, por ejemplo. 🔲

8. Para poder utilizar recursos de esta fuente de datos debemos disponer de una cuenta de Microsoft cuyos datos de inicio de sesión debemos introducir en esta pantalla. Escriba su dirección de correo electrónico y su contraseña en los campos correspondientes y pulse el botón **Iniciar sesión**.

9. Una vez hemos iniciado sesión en el servicio, se nos muestra una vista previa de la tabla que hemos elegido. Pulse el botón **Seleccionar consulta**. 🔲

10. En la ventana del asistente que nos muestra el nombre descriptivo de la conexión, 🔲 pulse el botón **Siguiente**.

11. En este ejemplo importaremos los datos de la tabla de origen **BasicCalendarUS**. Active esa opción y pulse el botón **Finalizar**.

12. Lógicamente, la duración del proceso de importación dependerá de la cantidad de datos que contenga la tabla que hemos seleccionado. Una vez finalizado dicho proceso, Excel nos informa de la cantidad de filas transferidas. Pulse el botón **Cerrar** del asistente y guarde el libro de PowerPivot en su biblioteca de documentos para dar por acabado este ejercicio.

IMPORTANTE

En Excel 2013 es posible crear **relaciones entre tablas** con datos de diferentes orígenes para facilitar el análisis de los mismos sin tener que consolidarlos en una misma tabla.

4

PRECIO

Gratuito (82)
De pago (98)
Prueba de evaluación gratuita (36)

5

CATEGORÍA

La organización de Windows Azure DataMarket facilita la localización de datos externos.

Alta tecnología y electrónica (4)
Automoción, Industrial y Aeroespacial (7)
Bienes de consumo y distribución (2)
Bienes inmuebles (9)
Ciencia y estadística (33)

6

DateStream

Boyan Penev

Date table feed designed for import into an Excel PowerPivot model. The table contains columns particularly suitable for time business intelligence applications. Delivered through the Azure Data Market, it is effortlessly available through the PowerPivot window in Excel.

8

Nombre descriptivo de la conexión: DataMarketWebFeed BoyanPenevDateStream

Avanzadas   Probar conexión

Desde esta ventana puede acceder al cuadro de **opciones avanzadas** de la conexión, así como comprobar cuál es su estado antes de proceder con la descarga de los datos.

Crear relaciones entre tablas

PARA FACILITAR EL ANÁLISIS DE DATOS entre tablas con orígenes de datos de diferentes tablas Excel ofrece ahora la posibilidad de crear relaciones entre tablas, lo que evita tener que consolidar esos datos en otra tabla. En este ejercicio veremos un ejemplo práctico basado en dos tablas que hemos obtenido desde Windows Azure DataMarket.

1. Siguiendo los pasos que vimos en el ejercicio anterior, hemos descargado desde Windows Azure DataMaket otra tabla de datos, concretamente, la denominada **US Air Carrier Flight Delays**, que se ha insertado en una nueva hoja del libro. (Recuerde que en función de la cantidad de datos a importar, el proceso puede durar algunos minutos.) Para relacionar en el modelo de datos esta tabla con la que importamos en el ejercicio anterior, es necesario que ambas tengan columnas compatibles. Vea que los formatos de la columna **DateKey** en la tabla **BasicCalendarUS** 🔢 y de la columna **FlightDate** de la tabla **US Air Carrier Flight** 🔢 son iguales. Usaremos estas columnas para crear la relación entre ambas tablas. Pulse el botón **Tabla dinámica** en la ventana de PowerPivot. 🔢

2. Mantenga la opción **Nueva hoja de cálculo** en el cuadro **Insertar tabla dinámica** y pulse el botón **Aceptar**. 🔢

3. Tal y como se indica, ahora debemos seleccionar los campos que queremos agregar al informe. En el panel **Campos de ta-**

Si desea insertar la tabla dinámica en una hoja de cálculo ya existente, active esa opción en el cuadro **Insertar tabla dinámica** y, si lo necesita, minimícelo para seleccionar la celda en la que se ubicará la tabla en dicha hoja.

080

bla dinámica**, expanda los campos de la tabla **On Time Performance** y active la opción **ArrDelayMinutes** para que se agregue al área de valores.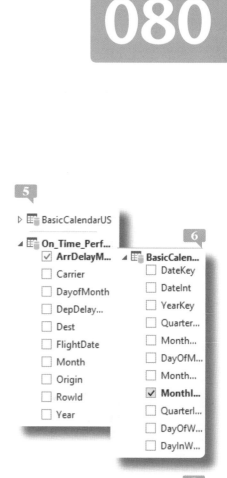

4. Aparecerá en la tabla dinámica la cantidad total de minutos que los vuelos se han demorado. Ahora muestre los campos de la tabla **BasicCalendarUS** y marque **MonthInCalendar** para agregarlo al área de filas.

5. Observe la tabla. Existen valores idénticos que necesitan de la creación de una relación entre las tablas, tal y como indica el botón **Crear** que ha aparecido en el panel de campos. Púlselo.

6. Se abre de este modo el cuadro **Crear relación**, en el que debemos seleccionar las tablas y las columnas que utilizaremos para crear la relación. En el campo **Tabla** seleccione la tabla **BasicCalendarUS** y, en el campo **Columna (externa)**, elija **DateKey**.

7. A continuación, en el campo **Tabla relacionada**, seleccione la tabla **On Time Perfomance** y, en el campo **Columna relacionada (principal)**, elija **FlightDate**.

8. Pulse el botón **Aceptar** y compruebe que ahora la suma de minutos demorados cambia para cada mes.

9. Para acabar, para organizar mejor la tabla dinámica, expanda los campos de la tabla **BasicCalendarUS** en el panel de campos y arrastre el campo **YearKey** hasta colocarlo sobre el campo **MonthInCalendar** en el área de filas. Vea el resultado sobre la tabla y guarde los cambios realizados en la hoja.

Etiquetas de fila ▼	Suma de ArrDelayMinutes
Dec 2011	4319227
Feb 2012	3478549
Jan 2012	4338918
Nov 2011	3874769
Oct 2011	4012668

Etiquetas de fila ▼	Suma de ArrDelayMinutes
⊟ 2011	12206664
Dec 2011	4319227
Nov 2011	3874769
Oct 2011	4012668
⊟ 2012	7817467
Feb 2012	3478549
Jan 2012	4338918

Crear relación

Seleccionar las tablas y columnas que desea utilizar para esta relación

Tabla:
BasicCalendarUS

Columna (externa):
DateKey

Tabla relacionada:
On_Time_Performance

Columna relacionada (principal):

ArrDelayMinutes
Carrier
DayofMonth
DepDelayMinutes
Dest
FlightDate
Month
Origin
Rowld
Year

Crear relaciones entre tablas es necesario para mostrar datos relaci

Administrar relaciones...

Cuando Excel detecte que es posible crear una relación entre tablas mostrará el botón **Crear** en el panel Campos de tabla dinámica.

Aumentar el detalle de los datos de tablas dinámicas

EN EXCEL 2013 SE PUEDEN UTILIZAR las nuevas opciones de rastreo de datos para navegar a diferentes niveles de un modelo de datos con mayor facilidad. La exploración de datos en una tabla dinámica compleja puede resultar una tarea que ocupa mucho tiempo; en Excel 2013, la nueva característica Exploración rápida facilita dicha tarea.

1. Seguimos trabajando en este ejercicio con la tabla dinámica que generamos en los anteriores a partir de los datos obtenidos desde Windows Azure DataMarket. Seleccione la celda que contiene la etiqueta del año 2011 y pulse sobre el nuevo botón **Exploración rápida** que aparece en la esquina inferior derecha. [1]

2. Aparece el cuadro **Explorar**, en el que debemos seleccionar el elemento que queremos explorar. Expanda los campos de la tabla **BasicCalendarUS**, seleccione, por ejemplo, el campo **DateKey** y pulse el botón **Rastrear a DateKey**. [2]

3. Observe que ahora los datos se muestran expandidos en la tabla. Debe tener en cuenta que el modo en que se pueden explorar los datos en una tabla dinámica depende de su jerarquía. Lógicamente, para obtener el máximo rendimiento de esta nueva herramienta, es conveniente que la tabla dispon-

gan de varios niveles. Comprobaremos a continuación que nuestra tabla de ejemplo no dispone de más subniveles que explorar y veremos cómo se comporta Excel al intentar utilizar la nueva función de exploración rápida. Pulse sobre una celda cualquiera de la tabla dinámica y haga clic en el icono **Exploración rápida**. 3

4. De nuevo en el cuadro **Explorar**, el programa nos informa de que no hay recomendaciones de gráfico o de exploración para los datos seleccionados, que no disponen de subcategorías. Nos aconseja que intentemos quitar los filtros o agregar más campos a la tabla para poder utilizar la función de exploración. Cierre el cuadro **Explorar** pulsando el botón de aspa de su cabecera. 4

5. Para quitar el filtro de exploración que hemos usado, pulse en el icono que aparece en la celda que muestra el año **2011**, active la casilla **All** en el cuadro que aparece y pulse el botón **Aceptar**. 5

6. Cuando practique por su cuenta con tablas más jerarquizadas comprobará que la herramienta de rastreo cuenta con dos variantes: el rastreo desagrupando datos y el rastreo agrupando datos. Deberá utilizarlas convenientemente seleccionando el nivel hasta que el desea rastrear. Sepa que podrá encontrar ambas opciones tanto en el icono de exploración rápida como en el grupo de herramientas **Campo activo** de la subficha **Analizar** de la ficha **Herramientas de tabla dinámica**. 6 Acabe este ejercicio guardando los cambios realizados en el libro.

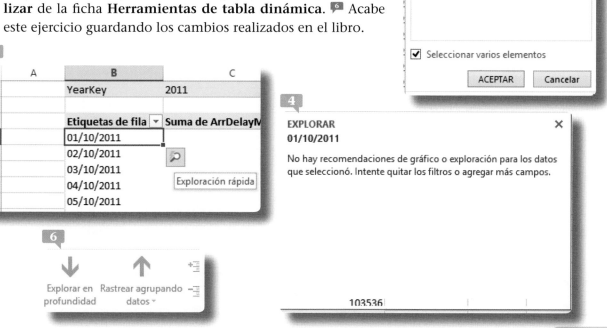

5

Buscar YearKey

☑ All

☑ Seleccionar varios elementos

ACEPTAR   Cancelar

3

	A	B	C
1		YearKey	2011
2			
3		Etiquetas de fila ▾	Suma de ArrDelayM
4		01/10/2011	
5		02/10/2011	
6		03/10/2011	
7		04/10/2011	
8		05/10/2011	

Exploración rápida

4

EXPLORAR
01/10/2011   ×

No hay recomendaciones de gráfico o exploración para los datos que seleccionó. Intente quitar los filtros o agregar más campos.

6

↓ Explorar en profundidad   ↑ Rastrear agrupando datos ▾

103536

Crear gráficos dinámicos

UN GRÁFICO DINÁMICO ES UNA REPRESENTACIÓN gráfica de los datos de un informe de tabla dinámica, aunque también se pueden crear a partir de datos de una hoja de cálculo. En estos casos, se crea automáticamente un informe de tabla dinámica asociada. Un gráfico dinámico es interactivo, de modo que los datos se pueden ordenar y filtrar para mostrar subconjuntos de datos.

1. En este ejercicio crearemos un gráfico dinámico a partir de la tabla dinámica que creamos anteriormente en la hoja 6 de nuestro libro de ejemplo **Puntos3.xlsx**. Seleccione la tabla dinámica y active la subficha **Analizar** de la ficha contextual **Herramientas de tabla dinámica**.

2. Pulse sobre el comando **Gráfico dinámico** del grupo **Herramientas**.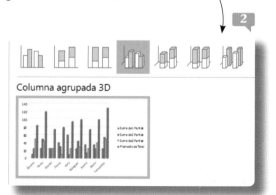

3. Se abre el cuadro de diálogo **Insertar gráfico** donde puede elegir el tipo de grafico que insertará. Seleccione el cuarto modelo del tipo **Columna** y pulse el botón **Aceptar**. ◖2◗

4. El nuevo gráfico se inserta en el centro de la hoja. Si ha aplicado algún filtro a la tabla, podrá comprobar que el gráfico lo mantiene mostrando los resultados adecuados. En la lista de campos de tabla dinámica deseleccione el campo **Total**, por ejemplo. ◖3◗

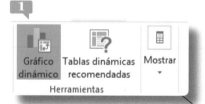

Los gráficos dinámicos se usan para **resumir datos** gráficamente y explorar grandes listados de datos.

El gráfico dinámico se crea a partir de los datos de la tabla dinámica y, si ésta tiene algún filtro, también se aplicará en el gráfico.

082

5. El campo desaparece tanto de la tabla como del gráfico dinámico. Ahora veremos cómo se crea un gráfico a partir de los datos de una hoja de cálculo. Vuelva a situarse en la hoja donde se encuentra la tabla principal **Puntos**.

6. Active la ficha **Insertar** y en el grupo de herramientas **Gráficos**, pulse sobre el botón de flecha de la herramienta **Gráfico dinámico** y elija la opción **Gráfico dinámico y tabla dinámica**.

7. Se abre el cuadro de diálogo **Crear tabla dinámica**, donde tiene que seleccionar el rango de celdas que quiera incluir en el gráfico. El procedimiento es idéntico al que hemos seguido para crear la tabla dinámica. En el campo **Tabla o rango** seleccione las celdas **A2:E10** con ayuda de la tecla **Mayúsculas**.

8. En el apartado de ubicación active la opción **Hoja de cálculo existente** y pulse en una celda libre de la hoja actual.

9. Cree la tabla y el gráfico dinámicos pulsando el botón **Aceptar**.

10. En el punto indicado, se inserta una tabla y un gráfico dinámico en blanco, al tiempo que se activa el panel de campos de gráfico dinámico. Seleccione todos los campos y observe cómo se añaden tanto al gráfico dinámico como a la tabla.

11. Deseleccione el gráfico dinámico pulsando en una celda libre de la hoja y, para acabar, guarde los cambios mediante el comando **Guardar** de la **Barra de herramientas de acceso rápido**.

4

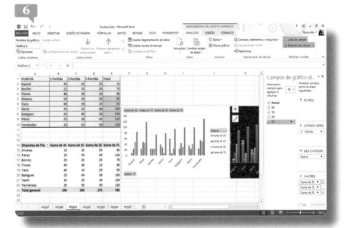

La opción **Gráfico dinámico** de la ficha **Insertar** permite crear gráficos dinámicos a partir de datos de una hoja de cálculo.

5

Elija dónde desea colocar el informe de tabla dinámica
○ Nueva hoja de cálculo
● Hoja de cálculo existente
Ubicación: Hoja1!$A$14

6

Los gráficos dinámicos se pueden modificar una vez creados. Se les puede aplicar filtros que nos ayuden a analizar la información que necesitamos.

Crear segmentaciones de datos

DESDE EXCEL 2010, PARA FILTRAR LOS DATOS se puede usar la segmentación de datos, que proporciona botones en los que se puede hacer clic para filtrar los datos de las tablas dinámicas. Además del filtrado rápido, la segmentación de datos, mejorada en Excel 2013, también indica el estado actual de filtrado, lo cual facilita el entendimiento de lo que se muestra exactamente en un informe de tabla dinámica filtrado.

1. Para empezar crearemos una segmentación de datos en la tabla dinámica que ya tenemos creada. Haga clic sobre la tabla dinámica para que se active la ficha contextual **Herramientas de tabla dinámica**.

2. En el grupo de herramientas **Ordenar y filtrar** de la subficha **Analizar**, haga clic en **Insertar Segmentación de datos**.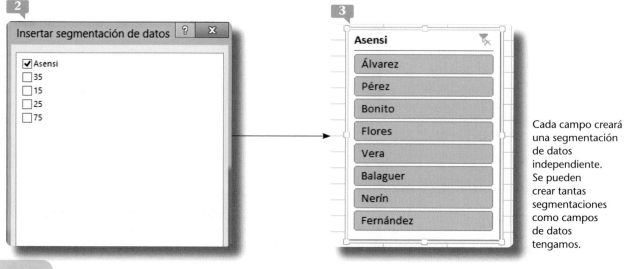

3. Se abre así el cuadro de diálogo **Insertar segmentación de datos**. En este cuadro debe activar los campos de la tabla para los que desee crear una segmentación. En este caso seleccione el primero y pulse el botón **Aceptar**.

4. Se crea así una segmentación de datos que se sitúa junto a la tabla dinámica. Haga clic sobre la segmentación de datos y, sin soltar el botón del ratón, arrástrela hasta colocarla en un punto de la hoja donde no moleste.

1

- Insertar Segmentación de datos
- Insertar escala de tiempo
- Conexiones de filtro

Filtrar

El comando **Insertar Segmentación de datos** de la ficha contextual **Herramientas de tabla dinámica** permite crear segmentaciones de datos que agilizarán la aplicación de filtros.

2

Insertar segmentación de datos

- ☑ Asensi
- ☐ 35
- ☐ 15
- ☐ 25
- ☐ 75

3

Asensi

- Álvarez
- Pérez
- Bonito
- Flores
- Vera
- Balaguer
- Nerín
- Fernández

Cada campo creará una segmentación de datos independiente. Se pueden crear tantas segmentaciones como campos de datos tengamos.

5. En Excel 2013 la segmentación de datos es más sencilla de utilizar y de configurar y muestra el filtro actual para que pueda saber exactamente los datos que está analizando. Imagine que le interesa ver los resultados de un solo jugador. En la segmentación de datos, haga clic sobre el primer jugador para seleccionarlo.

6. Observe el resultado. El resto de jugadores se han deseleccionado automáticamente y tanto en la tabla dinámica como en el gráfico dinámico se visualizan los datos del jugador que hemos seleccionado. También observe que el icono de filtro se ha activado. Haga clic sobre este icono para deshacer la selección y eliminar así el filtro.

7. Vuelven a aparecer todos los campos y el icono de filtro se desactiva. Estos filtros que se aplican con sólo seleccionar los elementos que queremos visualizar permiten seleccionar uno o varios elementos. Probemos ahora a mostrar los resultados de tres de los jugadores. Haga clic sobre el primer jugador.

8. Pulse la tecla **Ctrl**, haga clic sobre el tercer jugador y, a continuación, sobre el último.

9. Antes de acabar, desactivaremos el filtro. Esta vez haga clic sobre el primer campo de la segmentación de datos y, con la tecla **Mayúsculas** pulsada, haga clic en el último campo para así seleccionar todos los jugadores y eliminar el filtro.

10. Para eliminar la segmentación de datos haga clic sobre ella y pulse la tecla **Supr** en su teclado.

Con la ayuda de la tecla **Ctrl** puede seleccionar campos no consecutivos.

El filtro se aplicará de forma automática a la tabla y gráfico dinámicos, donde se visualizarán sólo los campos seleccionados.

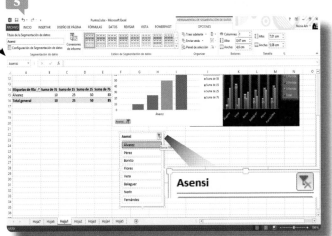

Cuando el icono de filtro está activado significa que hay un filtro activo. Si hacemos clic sobre ese icono eliminaremos el filtro.

Insertar un informe de Power View (I)

IMPORTANTE

Power View para Excel 2013 presenta algunas interesantes novedades, de entre las que destacan la posibilidad de modificar un modelo de datos interno sin abandonar la hoja de Power View y crear sofisticados **gráficos circulares** y **mapas**.

OFFICE PROFESSIONAL PLUS cuenta con el complemento Power View, que permite crear e interactuar con gráficos, segmentaciones de datos y otras visualizaciones de datos. La opción de vista avanzada de Excel 2013 a la que corresponde la función Power View se activa desde la ficha Insertar y requiere de la instalación del complemento Silverlight.

1. En este primer ejercicio dedicado al complemento Power View de Excel 2013 veremos cómo se muestra nuestra tabla de ejemplo de la hoja 1 del libro **Puntos3.xlsx** en la vista avanzada. Esta funcionalidad del programa facilita la visualización y la exploración de datos. Seleccione las celdas que componen la tabla de datos de la **Hoja1**, active la ficha **Insertar** y pulse el botón **Power View** del grupo **Informes**. 🔲¹

2. La primera vez que se accede a Power View, Excel solicita la instalación del complemento **Silverlight**. Pulse en el vínculo **Instalar Silverlight** en la barra informativa que aparece en la pare superior de la hoja. 💬²

3. En el cuadro de seguimiento de descargas, pulse el botón **Ejecutar** y, en la ventana de instalación, pulse el botón **Instalar ahora**. 💬³

4. Una vez finalizada la instalación, pulse el botón **Cerrar** en esta ventana y en la de descargas y pulse el botón **Volver a cargar** de la barra informativa.

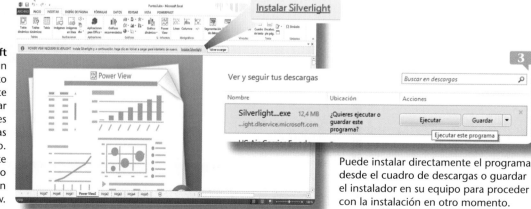

Microsoft Silverlight es un complemento que permite desarrollar aplicaciones enriquecidas para la web. Necesitará este complemento para trabajar con Power View.

Puede instalar directamente el programa desde el cuadro de descargas o guardar el instalador en su equipo para proceder con la instalación en otro momento.

5. Observe que se ha añadido una nueva hoja al libro, denominada **Power View**, y que ha aparece una nueva ficha en la **Cinta de opciones** con cuyas herramientas podemos editar la presentación de los datos que queremos representar. En primer lugar, seleccionaremos en el panel **Campos de Power View** los campos que queremos mostrar en el informe. Expanda los campos de la tabla **Rango**. 🔲

6. Active todos los campos de esa tabla y vea cómo aparecen tanto en el área de campos como en el informe. 🔲

7. Al igual que ocurre al trabajar con tablas dinámicas, Power View también nos permite modificar el orden en que se muestran los campos en el informe. Arrastre el campo **Puntos** en el área de campos hasta colocarlo en primer lugar y vea cómo cambia el informe. 🔲

8. Ahora añadiremos un filtro al informe que nos facilitará el análisis de los datos. Arrastre desde la lista de campos el campo **1 Partida** hasta colocarlo en el apartado **Filtros** del informe. 🔲

9. Si pulsa el icono **Modo de filtro de vista**, el primero de la derecha del campo añadido al panel **Filtros**, podrá ver diferentes sistemas de filtrado, como el que permite mostrar elementos que cumplan determinados criterios. Compruébelo. 🔲

10. Para mostrar determinados valores en la tabla de la que hemos tomado los datos también podemos activar la vista **Tabla** en el panel de filtros o usar el icono de filtro que aparece sobre la tabla en el informe al seleccionarla. En el siguiente ejercicio seguiremos practicando con las opciones de edición de Power View, por lo que acabe en este punto deseleccionando el informe y guardando los cambios realizados en el libro.

6

MOSAICO POR

CAMPOS

PUNTOS	▾
Σ 1 Partida	▾
Σ 2 Partida	▾
Σ 3 Partida	▾
Σ Total	▾

7

Filtros ‹ ✕

VISTA | TABLA

◢ 1 Partida ⬚ ✎ ✕
(Todo)

10   60

4

Campos de Power View

ACTIVO   **TODOS**

▷ 🎔 Libros infantiles1 Consulta
▷ ⊞ Libros infantiles11
▷ ⊞ Precio IVA
▷ ⊞ Precio IVA1
▷ ⊞ Precio IVA2
◢ ⊞ Rango   ▾
  ☐ Σ 1 Partida
  ☐ Σ 2 Partida
  ☐ Σ 3 Partida
  ☐   PUNTOS
  ☐ Σ Total

5

1 Partida	2 Partida	3 Partida	PUNTOS	Total
10	25	50	Álvarez	85
35	15	25	Asensi	75
25	45	30	Balaguer	100
25	25	25	Bonito	75
25	55	50	Fernández	130
40	30	10	Flores	80
35	25	40	Nerín	100
25	50	45	Pérez	120
60	10	25	Vera	95
280	**280**	**300**		**860**

8

Filtros ‹ ✕

VISTA | TABLA

◢ 1 Partida ⬚ ✎ ✕
(Todo)

Mostrar elementos para los que el valor:

| es mayor o igual que | ▾ |

| | |

Y ○

| | ▾ |

| | |

aplicar filtro

Insertar un informe de Power View (II)

AL CREAR UN INFORME CON POWER VIEW, Excel nos permite editar su aspecto usando las herramientas de la ficha Power View. Además de poder cambiar el modo en que se muestra la representación de datos en el informe (a modo de gráfico, de tabla, de mapa, etc.), es posible personalizar la apariencia del informe aplicándole un tema específico, añadiendo una imagen de fondo, insertando imágenes propias, etc.

1. En este ejercicio seguiremos practicando con la renovada herramienta Power View de Excel 2013. Veremos cómo modificar la apariencia del sencillo informe que creamos en el ejercicio anterior tomando los datos de la tabla de nuestro libro de ejemplo **Puntos3.xlsx**. Empezaremos agregando un título al informe. Pulse sobre el término **Haga clic aquí para agregar un título**, 🔲 escriba el término **Informe de puntos** 🔳 y pulse fuera de ese espacio para confirmar la entrada.

2. Seguidamente, aplicaremos un tema predeterminado de Office a nuestro informe. Recuerde que los temas son conjuntos de colores y fuentes que permiten modificar fácilmente la apariencia de un informe. Pulse el botón **Temas** del grupo del mismo nombre de la ficha **Power View** y elija, por ejemplo, el segundo tema de la cuarta fila, denominado **Austin**. 🔳

3. Vea cómo cambian tanto las fuentes como los colores en el informe y también en la lista de filtros. Para aplicar un fondo, podemos elegir uno de los predeterminados para el tema

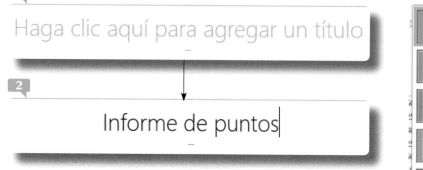

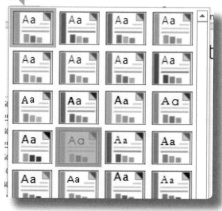

Puede cambiar fácilmente las características del texto de título usando las herramientas habituales de edición de la ficha **Inicio**.

elegido y añadirle además una imagen propia que tengamos almacenada en el equipo. Practiquemos con ambas opciones. Pulse el botón **Fondo** del grupo **Temas** y elija uno de los disponibles para el tema escogido. [4]

4. Sobre este fondo predeterminado, añadiremos una imagen propia. Pulse el botón **Establecer imagen** del grupo **Imagen de fondo** y haga clic en **Establecer imagen**. [5]

5. Aparece así el cuadro **Abrir**, en el que debemos localizar y seleccionar la imagen que queremos usar como fondo de nuestro informe. Elija una imagen que tenga guardada en su equipo y pulse el botón **Abrir**. [6]

6. Vea cómo va cambiando (y mejorando) el aspecto del informe. Con el resto de comandos del grupo **Imagen de fondo** puede modificar la posición de la imagen en el informe y su porcentaje de transparencia. Pulse el botón **Transparencia** y elija, por ejemplo, el valor **70%**. [7]

7. Con las opciones del grupo **Ver**, por su parte, es posible ocultar y mostrar la lista de campos y el área de filtros así como mostrar el informe en su tamaño real, y no ajustado a la ventana. Acabaremos el ejercicio cambiando el modo de visualización de la tabla de datos en el informe. Active la ficha **Diseñar**.

8. Pulse el botón **Mosaicos** del grupo de herramientas del mismo nombre para que los datos se representen como una serie de mosaicos. [8]

9. Vea cómo cambia la representación de datos. Desplácese por la tabla pulsando el botón de punta de flecha y vea los valores correspondientes al jugador **Fernández**, por ejemplo. [9]

10. Para acabar el ejercicio, guarde los cambios realizados en el libro pulsando el icono **Guardar** de la **Barra de herramientas de acceso rápido**.

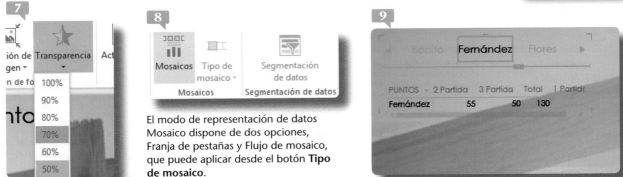

El modo de representación de datos Mosaico dispone de dos opciones, Franja de pestañas y Flujo de mosaico, que puede aplicar desde el botón **Tipo de mosaico**.

Crear y ejecutar una macro

LAS MACROS CONSTITUYEN UNA FORMA fácil de programar series de órdenes. Cuando se activa la función Grabar macro, todas las operaciones que se realizan desde ese momento hasta finalizar la grabación quedan registradas en la memoria del programa.

1. Las herramientas para la creación y la ejecución de una macro se encuentran en la ficha **Desarrollador**, oculta por defecto. Active la **Hoja1** del libro **Puntos3.xlsx**, acceda al cuadro **Opciones de Excel** desde la pestaña **Archivo**, active la opción **Desarrollador** en la categoría **Personalizar cinta de opciones** y pulse el botón **Aceptar**.

2. Active la ficha **Desarrollador** y pulse el comando **Grabar macro** del grupo de herramientas **Código**.

3. En el cuadro **Grabar macro**, mantenga el nombre que Excel aplica por defecto a la nueva macro, **Macro1**, y en el campo de texto del apartado **Tecla de método abreviado** inserte la letra **q**.

4. Puede indicar el lugar donde se va a guardar la macro, que por defecto será este mismo libro, y añadir una breve descripción. Pulse el botón **Aceptar**.

Por defecto, la ficha **Desarrollador** se encuentra oculta en Excel. Muéstrela activando la opción adecuada de la ficha **Personalizar cinta de opciones** del cuadro de opciones del programa.

El comando **Grabar macro** da paso al cuadro del mismo nombre, donde se definirán las propiedades de la macro que se va a crear. Al pulsar **Aceptar**, se iniciará la grabación.

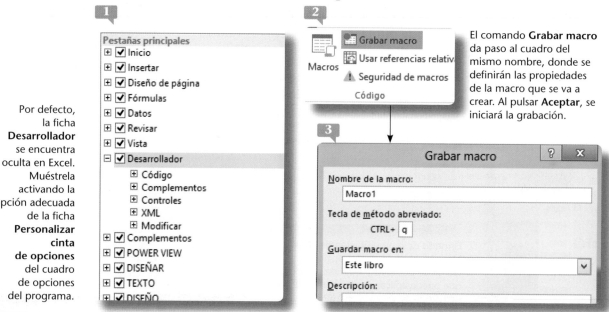

086

5. A partir de este momento todas sus acciones quedarán grabadas en la macro por lo que resulta primordial no cometer errores. Observe que en la **Barra de estado** ha aparecido un botón con un cuadrado; se trata del botón **Detener grabación**. Pulse la tecla **Alt**. y, manteniéndola pulsada, escriba en una celda libre el valor **126** y pulse la tecla **Retorno**. (Con esta combinación obtenemos el símbolo ~). 📱4

6. Detenga la grabación de la macro mediante el botón que ha aparecido en la **Barra de estado** o el comando **Detener grabación** del grupo **Código**. 📱5

7. Proceda a ejecutar la macro por el método abreviado. Sitúese en una celda vacía y pulse la combinación de teclas **Ctrl.+Q**.

8. Ahora volveremos a reproducir la macro de otra manera. Haga clic en otra celda libre y pulse en el botón **Macros** del grupo **Código** para acceder al cuadro **Macro**. 📱6

9. Compruebe que en este cuadro se encuentra seleccionada la única macro que hemos creado hasta el momento, la **Macro1** y pulse el botón **Ejecutar**. 📱7

10. Para acabar este sencillo ejercicio eliminaremos la macro. Acceda nuevamente al cuadro **Macro** pulsando el botón **Macros**.

11. Como ve, desde este cuadro puede mostrar todos los pasos que componen la macro seleccionada, modificarla, eliminarla o mostrar su cuadro de opciones. Con la **Macro1** seleccionada, pulse el botón **Eliminar**.

12. Confirme que desea eliminar la macro pulsando el botón **Sí** del cuadro de diálogo que aparece.

La combinación **Alt+126** devuelve en Excel el símbolo ~.

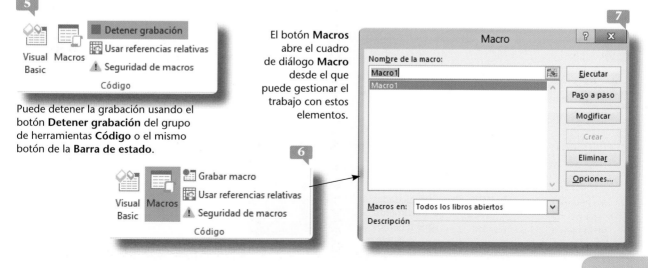

Puede detener la grabación usando el botón **Detener grabación** del grupo de herramientas **Código** o el mismo botón de la **Barra de estado**.

El botón **Macros** abre el cuadro de diálogo **Macro** desde el que puede gestionar el trabajo con estos elementos.

Obtener una vista preliminar

IMPORTANTE

El método abreviado de teclado para la función Vista preliminar es **CTRL+F2**.

LAS DIMENSIONES DE LA PANTALLA no suelen coincidir con las de la hoja de papel donde se van a imprimir los documentos y suele ser difícil saber qué parte de la hoja de cálculo entra en una hoja de papel prevista o en qué filas y columnas se dividirá el documento al repartirse en diferentes hojas de papel. Excel 2013 dispone en la pestaña Archivo del comando Imprimir, que permite obtener directamente una vista preliminar de la parte de la hoja que se va imprimir.

1. En Excel 2010 se simplificó la tarea de obtener una vista preliminar de los documentos. En este ejercicio, le mostraremos dos formas diferentes para previsualizar sus hojas de cálculo antes de imprimirlas. Continuaremos practicando con el libro de ejemplo **Puntos3.xlsx**. Haga clic en la pestaña **Archivo**.

2. Recuerde que algunas opciones de esta pestaña representan una novedad en esta versión del programa. El comando **Información** muestra, en el panel de la derecha, una lista de propiedades del libro abierto. Haga clic sobre el comando **Imprimir**.

3. Efectivamente, el comando **Imprimir** muestra directamente en la parte derecha del panel una vista previa del área imprimible de la hoja activa. Pulse en el botón de flecha redondo del menú **Archivo** para volver a la hoja de trabajo.

El comando **Información** de la pestaña **Archivo** muestra las principales propiedades del documento que tenemos activo.

4. Al activar la vista preliminar, el programa marca sobre el área de trabajo, mediante una línea de puntos discontinuos, el área imprimible de la hoja. A continuación, veremos otro modo de obtener la vista previa de la hoja. Active la pestaña **Diseño de página** de la **Cinta de opciones**.

5. El grupo de herramientas **Configurar página** dispone de todos los comandos que le permitirán ajustar la página para obtener la impresión buscada. Casi todos los comandos de este grupo de herramientas son los que se incluyen en el comando **Imprimir** de la pestaña **Archivo**. Haga clic sobre el iniciador de cuadro de diálogo del grupo de herramientas **Configurar página**. 🔲

6. Se abre de esta forma el cuadro de diálogo de configuración de la página para su impresión. 🔲 En este cuadro, pulse sobre el botón **Vista preliminar** y observe lo que ocurre.

7. Efectivamente, se vuelve a cargar el imprescindible comando **Imprimir** de la pestaña **Archivo**, mostrando en su parte derecha la vista previa de impresión del documento. En el siguiente ejercicio, aprenderemos a configurar todos los elementos de una hoja que influyen en ese proceso de impresión. Para dar por terminado este sencillo ejercicio, salga de esta vista preliminar pulsando el botón de flecha redondo del menú **Archivo**.

El comando **Imprimir** de la pestaña **Archivo** muestra de forma automática una vista preliminar del documento.

El botón **Vista preliminar** del cuadro **Configurar página** abre la sección **Imprimir** de la pestaña **Archivo**.

Configurar la página para su impresión

DESDE LA PESTAÑA ARCHIVO es posible configurar los distintos parámetros para su impresión, así como acceder al completo cuadro Configurar página. Además, el grupo de herramientas de la ficha Diseño de página de la Cinta de opciones permite configurar una serie de parámetros relacionados con la orientación de la página, los márgenes, el tamaño del papel, las columnas, los saltos de página, los números de línea y los guiones. Desde esta ficha también podemos acceder al cuadro Configurar página.

1. Para empezar active la pestaña **Archivo** y haga clic en el comando **Imprimir**.

2. De esta forma accedemos a los principales comandos relacionados con la preimpresión y la impresión. Ahora cambiaremos la orientación de la página. Despliegue el campo que muestra el texto **Orientación vertical** y elija la opción **Orientación horizontal**. 💬1

3. El programa establece una serie de combinaciones de márgenes predefinidos que se pueden modificar. Pulse sobre el primero de los dos iconos situados en la parte inferior derecha del panel de vista previa para mostrar los márgenes. 💬2

4. Puede modificar los márgenes sobre la vista previa o asignando valores concretos. Despliegue el campo **Última configuración de márgenes** y pulse sobre el comando **Márgenes personalizados** para acceder al cuadro **Configurar página**. 💬3

1

Configuración

Imprimir hojas activas	
Imprime solo las hojas activas	▼

Páginas: [ ] a [ ]

Intercaladas
1;2;3 1;2;3 1;2;3 ▼

Orientación vertical ▼

Orientación vertical

Orientación horizontal

2

Mostrar márgenes

Puede visualizar los márgenes de la página, que habitualmente están ocultos, y modificarlos de forma personalizada.

3

Superior:	2,54 cm
Izquierda:	2,54 cm
Encabezado:	1,27 cm
Estrecho	
Superior:	1,91 cm
Izquierda:	0,64 cm
Encabezado:	0,76 cm

Márgenes personalizados...

Última configuración de má... ▼
Izquierda: 1,8 cm Derecha:...

Sin escalado

5. El cuadro se abre mostrando directamente el contenido de la ficha **Márgenes**. Haga clic en la casilla de verificación **Horizontalmente** del apartado **Centrar en la página**. 🔲

6. Puede ver el efecto conseguido en la pequeña vista previa del cuadro. Active también la opción **Verticalmente** y pulse en **Aceptar** para volver al menú con la vista previa.

7. Otra forma de acceder al cuadro de diálogo de configuración es mediante el vínculo **Configurar página**. Haga clic sobre ese vínculo, situado debajo del comando de escala. 🔲

8. En el cuadro **Configurar página** haga clic sobre la pestaña **Hoja**.

9. En esta ficha puede establecer un área de impresión determinada: seleccionar sólo un rango de celdas para imprimir. Haga clic en la casilla de verificación de la opción **Líneas de división**, en la sección **Imprimir**, y pulse el botón **Aceptar**. 🔲

10. El menú del comando **Imprimir** permite iniciar la impresión una vez la configuración de la página haya terminado. Vamos a suponer que disponemos de una impresora instalada en nuestro equipo. Haga clic dos veces en la punta de flecha superior del campo **Copias** para fijar en **3** el número de copias impresas del documento.

11. Para terminar este ejercicio, pulse el botón **Imprimir** para llevar a cabo la impresión del documento. 🔲

El vínculo **Configurar página** abre el cuadro de diálogo del mismo nombre donde podemos modificar la configuración de la página y ajustarla correctamente antes de la impresión.

El contenido de la página puede centrarse tanto horizontal como verticalmente.

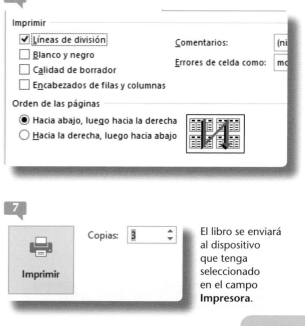

El libro se enviará al dispositivo que tenga seleccionado en el campo **Impresora**.

Trabajar en la vista Diseño de página

LA VISTA DISEÑO DE PÁGINA ES UNA VISTA SIMILAR a la Vista preliminar en la que el usuario puede ajustar la página y prepararla para su impresión.

1. En este sencillo ejercicio, conoceremos la utilidad de la vista **Diseño de página**, a la que podemos acceder mediante el icono de acceso a vistas apropiado de la **Barra de estado** o bien a través del comando correspondiente de la pestaña **Vista**. Active esta pestaña de la **Cinta de opciones**.

2. En el grupo de herramientas **Vistas de libro**, pulse sobre el comando **Diseño de página**.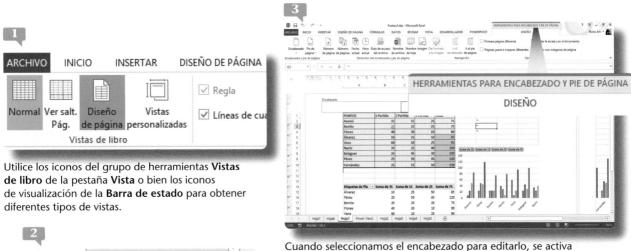

3. En la **Barra de estado** se ha activado el segundo icono de acceso a vistas, correspondiente a la vista seleccionada. Desde esta vista es posible configurar el encabezado y modificar los márgenes de la hoja con ayuda de las reglas horizontal y vertical. En primer lugar, vamos a cambiar el encabezado. Haga clic sobre el término **Haga clic para agregar encabezado**.

4. El encabezado se muestra ahora en modo de edición, a la vez que aparece la ficha contextual **Herramientas para encabezado y pie de página**. Escriba el número **1** y, para confirmar la entrada, pulse en la celda **A2**.

Utilice los iconos del grupo de herramientas **Vistas de libro** de la pestaña **Vista** o bien los iconos de visualización de la **Barra de estado** para obtener diferentes tipos de vistas.

Cuando seleccionamos el encabezado para editarlo, se activa automáticamente la ficha contextual **Herramientas para encabezado y pie de página**.

5. Alrededor de las celdas aparecen espacios en blanco que indican los márgenes de la hoja. Estos espacios pueden ocultarse y volverse a mostrar con una simple pulsación en cualquiera de los bordes de la hoja. Compruébelo. **4**

6. Utilizando el arrastre en las reglas que se muestran en esta vista podemos modificar los márgenes de la página. Las reglas permiten alinear, ubicar y medir objetos en la hoja. Desactive la regla en el grupo de herramientas **Mostrar** de la pestaña **Vista**. **5**

7. Ahora ajustaremos el contenido de la hoja al área de impresión para que se pueda imprimir en una sola página. Haga clic en la pestaña **Diseño de página** de la **Cinta de opciones**.

8. En este caso, queremos ajustar la hoja a una página de alto por una de ancho. Haga clic en el botón de punta de flecha del campo **Ancho**, en el grupo de herramientas **Ajustar al área de impresión**, y seleccione la opción **1 página**. **6**

9. Haga clic en el botón de punta de flecha del campo **Alto** y seleccione también la opción **1 página**.

10. La **Barra de estado** indica que el libro sólo consta de una página. Para acabar, haga clic en el primer icono del grupo de acceso a vistas de la **Barra de estado**, correspondiente a la vista **Normal**. **7**

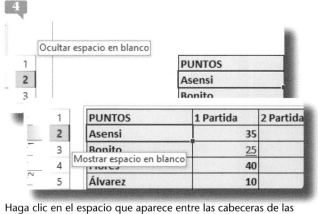

Haga clic en el espacio que aparece entre las cabeceras de las filas y las columnas y la hoja de cálculo para mostrar u ocultar el espacio que ocupa el margen.

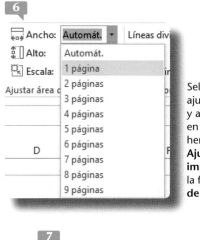

Seleccione los ajustes de ancho y alto que desee en el grupo de herramientas **Ajustar área de impresión** de la ficha **Diseño de página**.

Desde el grupo de herramientas **Mostrar** puede mostrar diferentes elementos de la hoja.

Crear un área de impresión

UN ÁREA DE IMPRESIÓN ES UNO O MÁS RANGOS que se designan para imprimir cuando no se quiere imprimir toda la hoja de cálculo. Cuando se establece un área de impresión y se guarda el documento, el área también queda almacenada. Si realiza una selección, la imprime y no la guarda como área de impresión, ésta no será memorizada por el programa.

1. Lo primero que debemos hacer para crear un área de impresión es seleccionar el rango de celdas que la conformarán. Hágalo teniendo en cuenta que debe utilizar la combinación **Mayúsculas+clic** para crear el rango. 🔢

2. Haga clic en la pestaña **Diseño de página** y pulse sobre el comando **Área de impresión** del grupo **Configurar página**.

3. Como ve, este comando permite crear y eliminar áreas de impresión. Pulse en la opción **Establecer área de impresión**. 🔢

4. El rango de celdas queda enmarcado con una línea discontinua a la vez que aparece el término **Área de impresión** en el cuadro de nombre. 🔢 Una vez creada el área de impresión, podemos indicar en el cuadro **Imprimir** que únicamente se

1

	A	B	C	D	E
1	PUNTOS	1 Partida	2 Partida	3 Partida	Total
2	Asensi	35	15	25	75
3	Bonito	25	25	25	75
4	Flores	40	30	10	80
5	Álvarez	10	25	50	85
6	Vera	60	10	25	95
7	Nerín	35	25	40	100
8	Balaguer	25	45	30	100
9	Pérez	25	50	45	120
10	Fernández	25	55	50	130

Seleccione un rango de celdas con ayuda de la tecla **Mayúsculas**.

2

R | DISEÑO DE PÁGINA | FÓRMULAS | D

Orientación Tamaño Área de impresión Saltos Fondo

Configu 🖨 Establecer área de im

En el grupo de herramientas **Configurar página** de la ficha **Diseño de página** se encuentran las herramientas necesarias para crear un área de impresión.

3

Compruebe que el área de impresión se distingue por un borde punteado.

Área_de_i... ▾ : × ✓ fx PUNTO

	A	B	C
1	PUNTOS	1 Partida	2 Partida
2	Asensi	35	15
3	Bonito	25	25

imprima esa zona o bien justamente lo contrario, que se omita. Haga clic en la pestaña **Archivo** y seleccione la opción **Imprimir**.

5. Se abre de este modo la ficha **Imprimir**. En el apartado **Configuración** se encuentra seleccionada por defecto la opción **Imprimir hojas activas**. Tenga en cuenta que, al establecer un área de impresión, Excel interpreta su contenido como la hoja activa, como puede comprobar en la vista previa de la derecha. Despliegue este campo, active la opción **Omitir el área de impresión** y observe que ahora la vista previa actúa como si no hubiese ningún área de impresión seleccionada.

6. Para que se imprima solamente el área de impresión que hemos creado, vuelva a desactivar la opción **Omitir el área de impresión**.

7. Vuelva a la hoja y active, si no lo está ya, la ficha **Diseño de página**.

8. Observe que la Cinta de opciones dispone de un grupo de herramientas, **Ajustar área de impresión**, que le permite modificar la escala del área de impresión. Para acabar el ejercicio, pulse en el comando **Área de impresión** del grupo de herramientas **Configurar página** y haga clic en **Borrar área de impresión**.

9. Si desea que Excel recuerde la información correspondiente al área de impresión que ha establecido, guarde el libro manteniéndola activada.

Desde el grupo de herramientas **Configurar página** se puede tanto crear como eliminar un área de impresión.

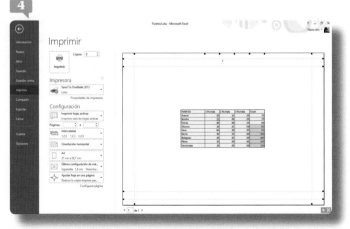

Acceda a la ficha **Imprimir** y compruebe que al crear un área de impresión, si mantiene seleccionada la opción **Hojas activas**, Excel sólo imprimirá dicha área.

Convertir texto en columnas

EL COMANDO TEXTO EN COLUMNAS incluido en el grupo Herramientas de datos de la ficha Datos, abre el denominado Asistente para convertir texto en columnas, que nos permite separar el contenido de celdas simples en diferentes columnas. Esta herramienta es especialmente útil, por ejemplo, para separar en diferentes columnas nombres y apellidos.

1. En una hoja en blanco de su libro, inserte un breve listado de nombres y apellidos.

2. En primer lugar, seleccione el rango de celdas donde se encuentra el texto que va a convertir: seleccione la celda que contiene el primer nombre de su lista, pulse la tecla **Mayúsculas** y, sin soltarla, haga clic en la celda con el último nombre. 🔲1

3. En la ficha **Datos** pulse sobre el comando **Texto en columnas**, en el grupo **Herramientas de datos**. 🔲2

4. Se abre el **Asistente para convertir texto en columnas**, que consta de tres pasos. En el primero debemos indicar si los datos que vamos a convertir son delimitados o de ancho fijo. Seleccione la opción **Delimitados** y pulse en el botón **Siguiente**. 🔲3

5. En el segundo paso estableceremos el tipo de separador que se utilizará para los datos. En la vista previa puede ver el efecto

	A	B
1	Ana Blanco López	
2	Luis Sierra Pérez	
3	Pedro Noble Vásquez	
4	Belén Vila Vila	
5	Isabel Rodríguez Sánchez	
6	Esther Jover Palma	
7	José Ruíz Fernández	
8	Carlos Soler Flores	

Texto en columnas — Relleno rápido — Quitar duplicados — Validación de datos — Consolidar — Análisis de hipótesis
Herramientas de datos

Seleccione el rango de celdas que quiera convertir en columnas y pulse en la herramienta **Texto en columnas** para acceder al asistente de conversión de texto en columnas.

Asistente para convertir texto en columnas - paso 1 de 3

El asistente estima que sus datos son Delimitados.

Si esto es correcto, elija Siguiente, o bien elija el tipo de datos que mejor los describa.

Tipo de los datos originales

Elija el tipo de archivo que describa los datos con mayor precisión:
● Delimitados - Caracteres como comas o tabulaciones separan campos.
○ De ancho fijo - Los campos están alineados en columnas con espacios entre uno y otro.

Vista previa de los datos seleccionados:

```
1 Ana Blanco López
2 Luis Sierra Pérez
3 Pedro Noble Vásquez
4 Belén Vila Vila
5 Isabel Rodríguez Sánchez
```

Cancelar | < Atrás | Siguiente > | Finalizar

091

que se conseguirá. En este caso, el delimitador entre el nombre y los apellidos es un espacio. En el apartado **Separadores**, desactive la opción **Tabulación** y active la opción **Espacio**.

6. Compruebe el resultado en el cuadro de vista previa: ahora el nombre y los apellidos se muestran en tres columnas distintas. Pulse el botón **Siguiente**.

7. En este paso podemos establecer el formato de los datos contenidos en cada columna. Observe que el formato aplicado por defecto para todas las columnas es **General**; lo cambiaremos por el formato de texto. Mantenga seleccionada la primera columna en la vista previa y pulse en el botón de opción **Texto**.

8. Repita la operación con la segunda y la tercera columnas.

9. En este paso también debemos indicar el punto de la hoja en que situaremos la tabla. Por defecto ésta se ubicará en la primera de las celdas seleccionadas, de manera que la tabla sustituirá al texto, pero podemos situarla en cualquier otro punto para mantener el texto original. Si lo necesita, minimice el asistente pulsando el icono que aparece a la derecha del campo **Destino**.

10. Haga clic en una celda libre para seleccionarla y maximice el asistente pulsando en el icono que aparece a la derecha del cuadro de texto.

11. Una vez establecidas las condiciones de la conversión, pulse el botón **Finalizar** y vea el resultado obtenido.

En el segundo paso del asistente, seleccione el tipo de separador que se utiliza entre los elementos.

Si ha seguido las indicaciones de este ejercicio, el resultado debería ser una lista similar a la de la imagen superior.

Tras indicar qué formato se aplicará a cada una de las columnas, minimice si es necesario el asistente e indique la celda de la hoja en la que se pegará el resultado de la conversión.

Proteger la hoja

IMPORTANTE

La función **Proteger hoja** también puede activarse desde el menú contextual de la etiqueta de cada hoja.

	Mover o copiar...
⊞	Ver código
⊞	Proteger hoja...
	Color de etiqueta ▶
	Ocultar
	Mostrar...

PARA IMPEDIR QUE SE PRODUZCAN CAMBIOS en una hoja de cálculo, Excel dispone de diversas herramientas de protección incluidas en el grupo Cambios de la ficha Revisar. Es posible proteger la hoja activa o todo el libro abierto. Esta función protege las fórmulas y los valores de las celdas y permite modificar el contenido de ciertos rangos previamente definidos. Además, también permite restringir el acceso a la configuración de protección establecida a aquellos usuarios que dispongan de la contraseña adecuada.

1. Suponga que desea que los datos contenidos en su hoja sean utilizados sólo como consulta y no puedan ser modificados. Para ello, deberá protegerla. Sitúese en la ficha **Revisar** de la **Cinta de opciones** y pulse sobre el comando **Proteger hoja** del grupo **Cambios**. 1️⃣

2. Aparece el cuadro de diálogo **Proteger hoja**. Observe que en el cuadro **Permitir a los usuarios de esta hoja de cálculo** están activadas dos únicas opciones gracias a las cuales el usuario podrá seleccionar las celdas bloqueadas y desbloqueadas de esta hoja. Con esta configuración se protegerán todos los objetos que contiene la hoja, pero piense que puede utilizar la opción **Permitir que los usuarios modifiquen rangos** para definir un rango modificable dentro de esta misma hoja. Pulse el botón **Aceptar**. 2️⃣

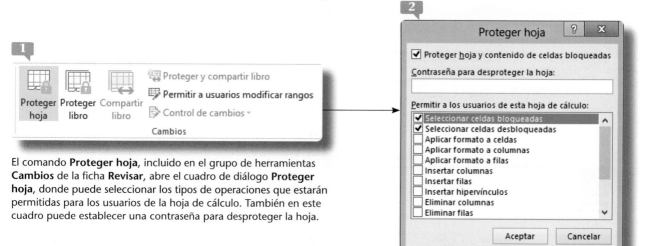

El comando **Proteger hoja**, incluido en el grupo de herramientas **Cambios** de la ficha **Revisar**, abre el cuadro de diálogo **Proteger hoja**, donde puede seleccionar los tipos de operaciones que estarán permitidas para los usuarios de la hoja de cálculo. También en este cuadro puede establecer una contraseña para desproteger la hoja.

092

3. Seleccione cualquier celda con contenido e intente escribir un valor distinto al actual. Verá que Excel informa de que las celdas de esta hoja están protegidas y que, por tanto, son de sólo lectura. Pulse el botón **Aceptar**.

4. Para eliminar la protección, pulse el botón **Desproteger hoja**.

5. El comando **Proteger libro** permite proteger la estructura y las ventanas del libro, de manera que será imposible cambiar el nombre de las hojas, variar su orden, ocultarlas, modificar el tamaño de las ventanas, etc. También podemos evitar que se desproteja un libro utilizando contraseñas. En este caso, protegeremos la estructura del libro. Pulse en el mencionado comando.

6. Se abre la ventana **Proteger estructura y ventanas** con la opción **Estructura** activada y el cursor en el campo **Contraseña (opcional)**. Escriba por ejemplo su nombre en ese campo y pulse **Aceptar**.

7. Vuelva a escribir la contraseña en el cuadro **Confirmar contraseña** y pulse **Aceptar**.

8. Para comprobar que todas las opciones de trabajo con hojas están ahora inactivas, haga clic con el botón derecho del ratón sobre la etiqueta de la hoja activa.

9. Efectivamente, no es posible insertar o eliminar hojas, cambiarles el nombre, etc. Para desproteger el libro, haga clic en el comando **Proteger libro**, escriba su contraseña en el cuadro **Desproteger libro** y pulse el botón **Aceptar**.

Para proteger la estructura y las ventanas de un libro, debe dirigirse al comando **Proteger libro** del grupo de herramientas **Cambios**.

3

> **Microsoft Excel**
>
> ⚠ La celda o el gráfico que intenta modificar están en una hoja protegida.
>
> Para hacer cambios, haga clic en Desproteger hoja de la pestaña Revisar (puede que se pida una contraseña).
>
> [Aceptar]

Si intenta modificar el contenido de una celda de una hoja protegida, aparece un cuadro de advertencia informándole de la imposibilidad de llevar a cabo esa acción.

5

> **Proteger estructura y ventanas**
>
> Proteger en el libro
> ☑ Estructura
> ☐ Ventanas
>
> Contraseña (opcional):
> •••••
>
> [Aceptar] [Cancelar]

6

> **Confirmar contraseña**
>
> Vuelva a escribir la contraseña para proceder.
> •••••
>
> Precaución: Si pierde u olvida la contraseña, no podrá recuperarla. Se recomienda guardar una lista de las contraseñas y de los nombres de los libros y de las hojas correspondientes en un lugar seguro. (Recuerde que las contraseñas distinguen entre mayúsculas y minúsculas.)
>
> [Aceptar] [Cancelar]

Si desea aumentar el nivel de protección de la estructura de su libro, inserte y confirme una contraseña.

Bloquear y desbloquear celdas

UNA HOJA DE CÁLCULO TOTALMENTE BLOQUEADA tiene muy poca utilidad. Una situación así sólo tiene sentido cuando se trata de un documento destinado sólo a la lectura, como si se tratara de una hoja impresa. La protección correcta de una tabla es, pues, aquélla que mantiene intocables las fórmulas pero permite introducir datos en las variables.

1. Suponga que desea proteger su hoja de cálculo de manera que una celda determinada pueda ser modificada, es decir, no esté bloqueada. Para empezar, seleccione la celda en cuestión y sitúese en la ficha **Inicio** de la **Cinta de opciones**.

2. Pulse en el comando **Formato** del grupo de herramientas **Celdas**, compruebe que la opción **Bloquear celda** se encuentra activada en el menú que se despliega y acceda al cuadro de formato de la celda pulsando en la opción **Formato de celdas**. **1**

3. En el cuadro **Formato de celdas**, pulse sobre la pestaña **Proteger** y compruebe que también aquí la opción **Bloqueada** se encuentra activada. Desactívela y pulse el botón **Aceptar**. **2**

4. A continuación, sitúese en la ficha **Revisar** y haga clic en el comando **Proteger hoja**. **3**

1

Σ Autosuma
Rellenar
Borrar
A Z Ordenar y filtrar

Formato

Tamaño de celda
Alto de fila...
Autoajustar alto de fila
Ancho de columna...
Autoajustar ancho de columna
Ancho predeterminado...

Visibilidad
Ocultar y mostrar

Organizar hojas
Cambiar el nombre de la hoja
Mover o copiar hoja...
Color de etiqueta

Protección
Proteger hoja...
Bloquear celda
Formato de celdas...

2

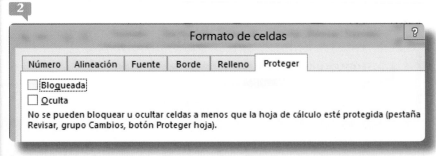

Acceda al cuadro **Formato de celda** y, en la ficha **Proteger**, desactive la opción **Bloqueada** para que al proteger la hoja, el bloqueo no afecte a la celda seleccionada.

3

Una vez desbloqueada la celda, proteja la hoja usando el comando adecuado de la ficha **Revisar**.

5. Mantenga las opciones tal y como aparecen en el cuadro **Proteger hoja** y pulse el botón **Aceptar**.

6. Ahora todas las celdas de la hoja están bloqueadas excepto la que ha elegido. Compruébelo escribiendo en la celda seleccionada y pulsando el icono **Introducir**.

7. El contenido de una celda desbloqueada puede modificarse, pero no el formato cuando la hoja está protegida. Para comprobarlo, sitúese de nuevo en la ficha **Inicio** y haga clic en el comando **Formato** del grupo de herramientas **Celdas**.

8. Como ve, todas las opciones de este menú relativas a la edición de celdas se encuentran desactivadas. Pulse sobre la opción **Desproteger hoja**.

9. Para acabar, activaremos la opción **Bloqueada** en el cuadro de formato de la celda seleccionada. Esta vez acceda al cuadro **Formato de celdas** pulsando con el botón derecho del ratón sobre la celda en cuestión y seleccionando en el menú contextual la opción adecuada.

10. Sitúese en la ficha **Proteger**, haga clic en la casilla de verificación de la opción **Bloqueada** para activarla y acabe el ejercicio pulsando el botón **Aceptar**.

Recuerde que puede acceder al cuadro de formato de celdas desde el comando **Formato** de la ficha **Inicio** o desde el menú contextual de las celdas.

Al proteger una hoja en la que se ha desbloqueado una celda, es posible modificar el contenido de dicha celda, pero no es posible editarla. Para ello, deberá desproteger la hoja.

Firmar documentos

LAS FIRMAS DIGITALES DE MICROSOFT OFFICE combinan la familiaridad de las firmas en papel con las ventajas de las de formato digital. En este ejercicio veremos cómo añadir una línea de firma al documento. Esta línea de firma especifica la persona que debe firmar el documento. Se insertará una línea de firma con los datos del firmante donde éste deberá firmar ya sea manualmente una vez impreso el documento o digitalmente.

1. Para este ejercicio seguiremos utilizando el archivo de ejemplo **Puntos3**. Active la ficha **Insertar**.

2. Pulse sobre el botón de punta de flecha del comando **Agregar una línea de firma** que se encuentra en el grupo de herramientas **Texto**, justo debajo del comando **WordArt**.

3. Seleccione la opción **Agregar servicios de firma**.

4. Se abre así una página de su navegador predeterminado en la que encontrará toda la información necesaria para obtener un certificado digital de Microsoft Office. Cierre esta página.

5. Vuelva a hacer clic sobre el botón de punta de flecha del comando **Línea de firma** y esta vez seleccione la opción **Línea de firma de Microsoft Office**.

094

6. Se abre así el cuadro **Configuración de firma**, donde debemos añadir toda la información del firmante para que esté visible en la línea de firma. Dado que será usted mismo el que firme su documento, comience introduciendo su nombre en el campo **Firmante sugerido**.

7. A continuación rellene los campos **Puesto del firmante** y **Dirección de correo electrónico del firmante**.

8. Para que sea posible añadir algún comentario posteriormente, active el campo **Permitir que el firmante agregue comentarios**, asegúrese de que la opción **Mostrar la fecha en la línea de firma** está activada y pulse el botón **Aceptar**. **3**

9. La línea de firma se inserta en la hoja de Excel en forma de imagen, es decir, usted puede cambiar su tamaño y su ubicación. Haga clic con el botón derecho del ratón sobre la línea de firma y, del menú contextual, seleccione la opción **Formato de imagen**. **4**

10. En el cuadro **Formato de imagen**, active la pestaña **Tamaño**.

11. En el campo **Alto** escriba el número **4**, introduzca en el campo **Ancho** el valor **8** y pulse el botón **Aceptar**. **5**

12. Haga clic encima de la línea de firma que se ha insertado y, sin soltar el botón, desplácela hasta el punto que más le convenga.

13. Para acabar, deseleccione la línea de firma y guarde los cambios mediante la combinación de teclas **Ctrl+G**.

El tamaño y la ubicación de la línea de firma pueden modificarse a través del cuadro **Formato de imagen**. **5**

En el cuadro **Configuración de firma** tiene que insertar todos los datos del firmante que quiera que aparezcan en la línea de firma.

Recuperar documentos

LA FUNCIÓN DE SEGURIDAD de Excel Recuperación de documentos recupera los documentos con los que se está trabajando en caso de que el ordenador no responda o muestre un error inesperado que le obligue a reiniciarlo o a cerrarlo.

1. En primer lugar, vamos a ver cuáles son las opciones de autorrecuperación de documentos que ofrece Excel 2013. Acceda al cuadro **Opciones de Excel** pulsando el botón opciones de la ficha **Archivo**.

2. En el panel de categorías de la izquierda, pulse sobre la opción **Guardar.**

3. En esta ficha puede determinar cada cuánto tiempo quiere que el programa guarde información de autorrecuperación y especificar la ruta en la que se guardará. Mantenga las opciones de autorrecuperación tal y como se muestran por defecto y pulse el botón **Aceptar.**

4. Ahora imagine que se ha producido un corte de corriente eléctrica o que se ha producido algún tipo de error en el programa justo después de realizar un cambio y sin haberlo guardado. Para simular este problema, forzaremos el cierre del programa. Pulse la combinación de teclas **Ctrl+Alt+Supr.**

5. En su pantalla aparecen algunas opciones básicas de Windows. Seleccione la denominada **Administrador de tareas.**

1

Información

Nuevo

Abrir

Guardar

Guardar como

Imprimir

Compartir

Exportar

Cerrar

Cuenta

Opciones

2

💾 Personalizar la forma en que se guardan los libros.

Guardar libros

Guardar archivos en formato: | Libro de Excel (*.xlsx)

☑ Guardar información de Auto**r**recuperación cada | 10 | minutos

  ☑ Conservar la última versión autoguardada cuando se cierra sin guardar

Ubic**a**ción de archivo con Autorrecuperación: | C:\Users\Nuria\AppData\Roar

☐ No **m**ostrar la vista Backstage cuando se abran o guarden archivos

☑ Mostrar sitios adicionales para guardar, incluso si fuera necesario iniciar **s**esión.

☐ Guardar en P**C** de forma predeterminada

Ubicación predeterminada de arc**h**ivos locales | C:\Users\Nuria\Documents

Ubicación predeterminada de **p**lantillas personales:

Las opciones de autorrecuperación de archivos se encuentran en la ficha **Guardar** del cuadro de **Opciones de Excel**. Aquí puede establecer la ubicación del equipo en que se guardarán los archivos de autorrecuperación, deshabilitar esa función para un documento concreto, etc.

095

6. Se abre el cuadro **Administrador de tareas**, notablemente mejorado en Windows 8, versión con la que trabajamos en este manual. En la ficha **Procesos** verá todos los programas que tiene abiertos en este momento. Haga clic sobre el documento de Microsoft Excel y pulse el botón **Finalizar tarea**.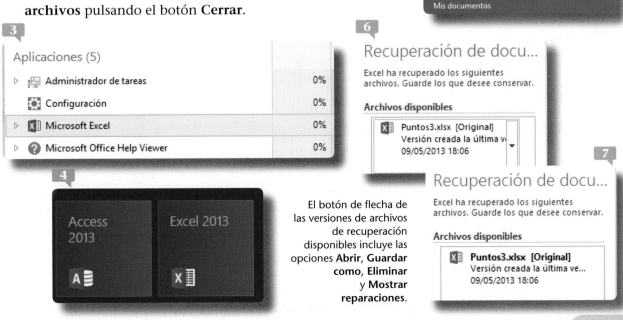

7. Cierre el **Administrador de tareas** pulsando el botón de aspa de su **Barra de título**.

8. Excel se ha cerrado. Ahora volveremos a abrir el programa desde la nueva pantalla **Inicio** de Windows. Pulse la tecla de **Windows** para acceder a esa pantalla, localice el mosaico de **Excel 2013** y pulse sobre él.

9. Cuando vuelva a abrirlo, aparece el panel de documentos recientes al que se ha añadido la sección **Recuperado**, que nos informa de que Excel ha recuperado un archivo que quizás deseemos mantener. Pulse en el vínculo **Mostrar archivos recuperados**.

10. Aparece a la izquierda del área de trabajo el panel **Recuperación de documentos**, donde se muestra la última versión disponible de nuestro libro. Para recuperarla, pulse sobre ella.

11. Automáticamente se abre el documento seleccionado a la vez que se muestra remarcado en negrita en el panel **Recuperación de documentos**. Para dar por acabado este ejercicio en el que ha conocido la enorme utilidad de la herramienta de recuperación de archivos, cierre el panel **Recuperación de archivos** pulsando el botón **Cerrar**.

El botón de flecha de las versiones de archivos de recuperación disponibles incluye las opciones **Abrir, Guardar como, Eliminar** y **Mostrar reparaciones**.

Insertar comentarios

INSERTAR UN COMENTARIO EN UNA CELDA no quita espacio y es muy útil como recordatorio o ayuda. El único indicador de que una celda contiene un comentario es un discreto triángulo rojo que aparece en la esquina superior derecha de la misma.

1. Seleccione la celda **A1** (PUNTOS) del libro de ejemplo **Puntos3**, active la ficha **Revisar** de la **Cinta de opciones** y pulse en el comando **Nuevo comentario**. 🔲

2. Automáticamente, aparece un recuadro amarillo en el que se observa el nombre de usuario correspondiente al equipo y un cursor intermitente que indica a partir de dónde puede empezar a escribir su mensaje. Escriba un texto de ejemplo 🔲 y seleccione de nuevo la celda para dar por terminada la introducción.

3. Imagine ahora que se ha dado cuenta de que ha introducido mal el texto y desea corregirlo. Pulse el comando **Mostrar todos los comentarios** del grupo **Comentarios**. 🔲

4. Excel muestra otra vez el recuadro amarillo del comentario. Pulse sobre él, modifique el texto y pulse en la celda seleccionada para finalizar la modificación.

5. Oculte el comentario desactivando la opción **Mostrar todos los comentarios**.

Si selecciona el cuadro de texto en el que ha insertado un comentario, se activará en la Cinta de opciones el botón **Modificar comentario**, que sustituirá al botón Nuevo comentario.

096

6. A continuación, seleccione otra celda de su hoja, pulse sobre ella con el botón derecho del ratón para abrir su menú contextual y elija la opción **Insertar comentario**. 4

7. En la etiqueta del comentario escriba otro texto de ejemplo y vuelva a pulsar sobre la celda para confirmar la entrada. 5

8. Hasta el momento hemos visto cómo insertar y modificar comentarios. Por norma general, los comentarios tan sólo pueden leerse si pasamos el puntero del ratón por encima de la celda en la que están insertados o bien si pulsamos el comando **Mostrar u ocultar comentarios** cuando la celda esté seleccionada. Pulse en dicho comando.

9. Y para mostrar todos los comentarios, pulse de nuevo el botón **Mostrar todos los comentarios**.

10. Como puede imaginar, los comandos **Anterior** y **Siguiente** le permitirán navegar por los comentarios y el comando **Eliminar**, suprimirlos de la hoja. Tenga en cuenta que este último comando sólo estará activo cuando se encuentre seleccionada una celda con comentario. Púlselo para eliminar el último comentario. 6

11. Por último, seleccione la otra celda en la que ha insertado un comentario, que muestra ahora un pequeño triángulo rojo en su esquina superior derecha, y pulse nuevamente el comando **Eliminar**.

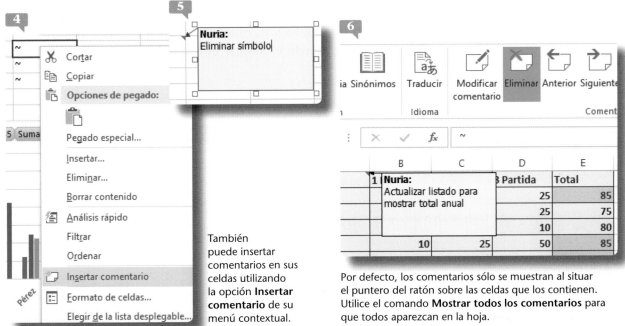

También puede insertar comentarios en sus celdas utilizando la opción **Insertar comentario** de su menú contextual.

Por defecto, los comentarios sólo se muestran al situar el puntero del ratón sobre las celdas que los contienen. Utilice el comando **Mostrar todos los comentarios** para que todos aparezcan en la hoja.

Enviar por correo electrónico

LA OPCIÓN CORREO ELECTRÓNICO se encuentra en el comando Compartir de la pestaña Archivo. Esta opción añade la hoja de cálculo que tenemos activa en este momento como documento adjunto de un e-mail. Como gestor de correo, se utiliza por defecto la aplicación configurada como predeterminada. Al dar la orden de enviar el mensaje, éste se guarda en la Bandeja de salida del programa.

1. Para empezar, haga clic en la pestaña **Archivo** y pulse sobre el comando **Compartir**.

2. Recuerde que, como novedad en Excel 2013, ahora es posible compartir un libro en la nube, concretamente en el espacio de almacenamiento SkyDrive. Seleccione la opción **Correo electrónico**.

3. En este comando se incluyen todas las opciones que permiten enviar una copia del libro a otras personas, ya sea a modo de mensaje de correo electrónico, en diferentes formatos, ya sea utilizando un servicio de fax por Internet. Haga clic en la opción **Enviar como datos adjuntos**.

4. Se abre de este modo la ventana del mensaje de correo con el libro adjunto y el nombre del mismo como asunto. Si lo desea, puede modificar el texto del asunto. Para empezar,

Si tiene la dirección a la que quiere enviar este mensaje guardada en sus contactos haga clic en el botón **Para** y se abrirá su libreta de direcciones.

Para enviar un libro por correo electrónico utilice la opción **Enviar como datos adjuntos** del comando **Compartir**.

introduciremos el nombre del destinatario. En el campo **Para**, escriba la dirección de correo electrónico.

5. Si lo desea, puede escribir un texto en el cuerpo del mensaje. Haga clic en el área de escritura del mensaje e inserte un texto de ejemplo que acompañará al documento adjunto. 4

6. Para enviar el mensaje a la Bandeja de salida de Outlook (o del programa gestor de correo electrónico que utilice habitualmente), simplemente pulse el botón **Enviar** de la cabecera del mensaje. 5

7. Vamos a comprobar ahora que el mensaje se ha colocado automáticamente en la Bandeja de salida de Outlook (o de su gestor predeterminado), preparado para ser enviado. Abra su programa habitual de correo electrónico.

8. Se abre así la ventana del programa, mostrando el contenido de la Bandeja de entrada. Muestre la carpeta **Bandeja de salida**. 6

9. Efectivamente, aparece el mensaje que hemos creado desde Excel. El clip que aparece junto al nombre del destinatario indica que contiene documentos adjuntos, en este caso, el libro. Para enviar definitivamente el mensaje a su destinatario, pulse el botón **Enviar y recibir todas las carpetas**.

10. Una vez enviado el mensaje, cierre Outlook pulsando el botón de aspa de su **Barra de título**.

Antes de enviar el mensaje debe rellenar obligatoriamente el campo **Para** de la cabecera y opcionalmente, los campos **Asunto**, **Con Copia** y el cuerpo del mensaje.

Pulse el botón **Enviar** para que el mensaje se envíe a su destinatario.

Inspeccionar un documento

IMPORTANTE

Es recomendable usar el **Inspector de documento** en una copia del documento original, puesto que no siempre se pueden restaurar los datos que elimina este inspector. Por ejemplo, si elimina filas, columnas u hojas ocultas que contienen datos, se pueden ver afectados los resultados de los cálculos realizados en el libro. Si desconoce el contenido de esos elementos ocultos, muéstrelos y revise su contenido antes de eliminarlo.

LA FUNCIONALIDAD INSPECTOR DE DOCUMENTO permite revisar el libro para comprobar si existe información privada, comentarios, filas y columnas ocultas, etc., y eliminarla si es necesario. Esta herramienta resulta especialmente práctica cuando en el libro existe información confidencial que no se desea compartir con otros usuarios.

1. Seguiremos trabajando sobre el archivo **Puntos3**. Suponga que va a compartir el documento con otros usuarios y quiere eliminar información confidencial, comentarios, notas, etc. Haga clic en la pestaña **Archivo** y pulse sobre la opción **Comprobar si hay problemas** de la categoría **Información**.

2. Como puede ver, en este comando se incluyen las herramientas necesarias para preparar el documento para su distribución. En el submenú que aparece, haga clic sobre la opción **Inspeccionar documento**.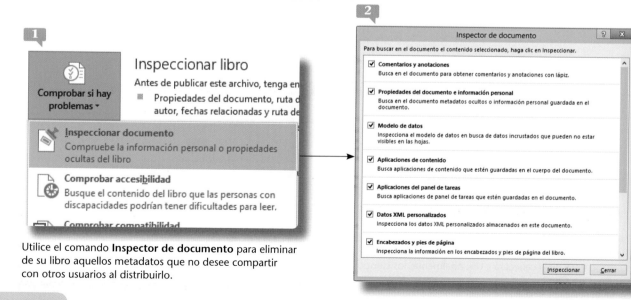

3. Se abre así el cuadro **Inspector de documento**, 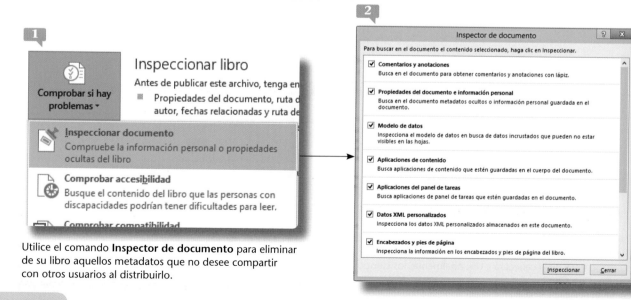 donde debemos seleccionar el contenido oculto o privado que no deseamos incluir en el libro que vamos a compartir. Como puede ver, gracias a esta herramienta, podemos localizar comentarios y anotaciones, propiedades del documento e información per-

Utilice el comando **Inspector de documento** para eliminar de su libro aquellos metadatos que no desee compartir con otros usuarios al distribuirlo.

sonal, contenido invisible, etc. Suponga que sólo desea localizar y quitar los comentarios y anotaciones y las propiedades del documento. Desactive el resto de opciones pulsando en sus casillas de verificación.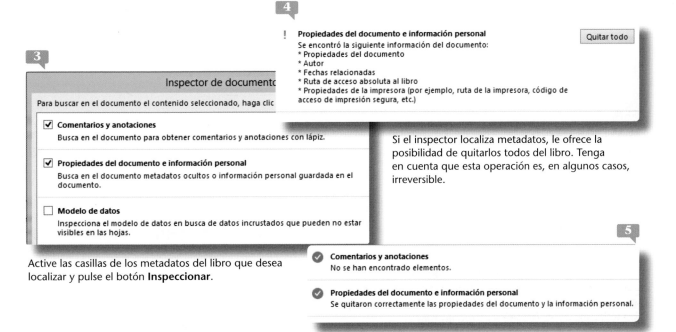

4. Una vez establecidos los elementos que deseamos encontrar en el libro, pulse el botón **Inspeccionar**.

5. El Inspector de documento localiza la información que hemos especificado y ofrece la posibilidad de quitarla antes de distribuir el libro entre otros usuarios. Pulse el botón **Quitar todo** en el caso de que su documento incluya comentarios, anotaciones o propiedades.

6. El inspector nos informa ahora de que esos datos se han quitado correctamente. Una vez acabada la revisión, podemos volver a inspeccionar el libro (operación que podemos repetir tantas veces como creamos necesario) o cerrar el inspector. Pulse el botón **Volver a inspeccionar**.

7. Marque las opciones que desea inspeccionar y pulse el botón **Inspeccionar**.

8. Pulse el botón **Cerrar** del cuadro **Inspector de documento**.

Si ha eliminado propiedades del libro, pruebe a acceder al cuadro **Propiedades del documento**, también desde el comando **Información**, para comprobar que éstas ya no aparecen.

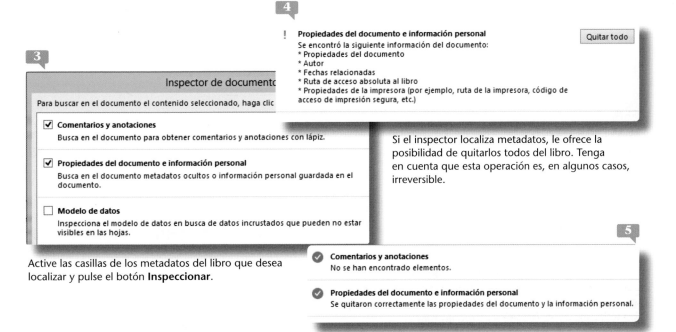

Active las casillas de los metadatos del libro que desea localizar y pulse el botón **Inspeccionar**.

Si el inspector localiza metadatos, le ofrece la posibilidad de quitarlos todos del libro. Tenga en cuenta que esta operación es, en algunos casos, irreversible.

Marcar como final

PARA QUE UN LIBRO SEA DE SÓLO LECTURA y evitar así que pueda ser modificado accidentalmente por usuarios no autorizados, se utiliza la función Marcar como final. Cuando un libro se marca como final, aparece un icono que así lo indica en la Barra de estado y, además, las herramientas de edición, escritura y revisión se deshabilitan y la propiedad Estado pasa a ser Final.

1. En este ejercicio marcaremos como final el libro con el que estamos trabajando y, tras comprobar cómo actúa esa función, lo devolveremos a su estado original. Haga clic en la pestaña **Archivo** y pulse sobre el comando **Proteger libro** de la categoría **Información** para ver las opciones que incluye.

2. Pulse sobre la opción **Marcar como final**. 🗨1

3. Aparece un cuadro de advertencia que nos indica que el libro debe marcarse como final antes de ser guardado. Pulse el botón **Aceptar** de este cuadro. 🗨2

4. Tal y como indica el cuadro informativo que estamos viendo, cuando se marca un libro como final, su propiedad **Estado** pasa a ser **Final**, de manera que los usuarios con los que

Al marcar un libro como final, Excel le informa de que la operación se llevará a cabo antes de guardar el libro.

Utilice la opción **Marcar como final** del comando **Proteger libro** de la pestaña **Archivo** para marcar un libro como final, de manera que no pueda ser modificado por otros usuarios.

se comparta sabrán que se trata de la versión finalizada del mismo. Además, los comandos de edición y diseño se desactivan para que el libro no pueda ser modificado. Pulse el botón **Aceptar** de este cuadro de diálogo.

5. Sobre el área de trabajo aparece una barra informativa que indica que el libro se ha marcado como final y ofrece la posibilidad de editarlo de todos modos. Además, un icono que muestra un tampón ha aparecido en la **Barra de estado** del libro. Pulse en la pestaña **Inicio** y compruebe los comandos de la **Cinta de opciones** se muestran ahora deshabilitados.

6. Vamos a comprobar que, efectivamente, el estado de este libro es Final. Haga clic en la pestaña **Archivo**, pulse sobre la opción **Información.**

7. En la sección **Proteger libro** se informa también de que el libro se ha marcado como final. Entre las opciones que presenta el comando **Propiedades**, haga clic sobre **Mostrar todas las propiedades.**

8. Se harán visibles así todas las propiedades del documento, donde puede ver que en el campo **Estado** se muestra, en efecto, la opción **Final,** para indicar que está acabado.

9. Para permitir la edición de un libro que ha sido marcado como final, basta con desactivar esa opción. Haga clic en el comando **Proteger libro** y deseleccione la opción **Marcar como final.**

IMPORTANTE

Observe que cuando un libro está marcado como final se desactiva la opción **Guardar** de la pestaña **Archivo**, ya que un libro marcado como final no puede ser modificado.

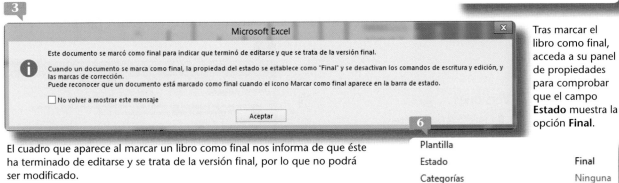

5

Autor

Última modificación realizada por

Documentos relacionados

Abrir ubicación de archivos

Editar vínculos a archivos

Mostrar todas las propiedades

3

Microsoft Excel

Este documento se marcó como final para indicar que terminó de editarse y que se trata de la versión final.

Cuando un documento se marca como final, la propiedad del estado se establece como "Final" y se desactivan los comandos de escritura y edición, y las marcas de corrección.
Puede reconocer que un documento está marcado como final cuando el icono Marcar como final aparece en la barra de estado.

☐ No volver a mostrar este mensaje

Aceptar

El cuadro que aparece al marcar un libro como final nos informa de que éste ha terminado de editarse y se trata de la versión final, por lo que no podrá ser modificado.

Tras marcar el libro como final, acceda a su panel de propiedades para comprobar que el campo **Estado** muestra la opción **Final.**

6

Plantilla	
Estado	Final
Categorías	Ninguna
Asunto	Ninguna
Base de hipervínculo	Ninguna

Puntos3.xlsx [solo lec

4

ARCHIVO INICIO INSERTAR DISEÑO DE PÁGINA FÓRMULAS DATOS REVISAR VISTA DESAR

ⓘ MARCADO COMO FINAL Un autor marcó este libro como final para evitar la edición. Editar de todos modos

K25 fx

Cambiar las opciones de vista de explorador

UNA DE LAS MÁS INTERESANTES NOVEDADES que presenta toda la suite de Office 2013 consiste en compartir los documentos creados con sus diferentes aplicaciones en un espacio virtual, en la nube (por ejemplo, en SkyDrive, como ya vimos en un ejercicio anterior). En la categoría Información del menú Archivo se encuentra la opción que permite elegir qué verán los usuarios cuando un libro de Excel se vea en la Web.

1. Pulse en la pestaña **Archivo**, active la categoría Información y haga clic en el botón **Opciones de vista de explorador**.

2. Se abre de este modo el cuadro **Opciones de vista de explorador**, en cuyas fichas **Mostrar** y **Parámetros** podemos seleccionar las hojas y elementos que se mostrarán cuando el libro se publique en la Web, así como agregar parámetros para especificar qué celdas podrán modificar los usuarios. De manera predeterminada, se encuentra activada la opción **Todo el libro** en la ficha **Mostrar**, según la cual se mostrarán todos las hojas del libro. Pulse el botón de punta de flecha del campo que muestra esa opción y elija **Elementos en el libro**.

3. Ahora aparece un listado de los elementos que hemos ido añadiendo al libro a lo largo de estos ejercicios (gráficos, tablas

Versiones

Hoy, 15:34 (autoguardar)
Hoy, 15:23 (autoguardar)

Administrar versiones

Opciones de vista de explorador

Elija qué pueden ver los usuarios cuando este libro se vea en

Opciones de vista de exp

Elegir qué pueden ver los usuarios cuando este libro se vea en la Web

Opciones de vista de explorador

Mostrar | Parámetros

Seleccione las hojas y elementos con nombre que se mostrarán cuando el libro se vea en el explorador. El libro completo estará siempre disponible en Excel.

Todo el libro
Hojas
Elementos en el libro
☑ Hoja8
☑ Hoja6
☑ Hoja1
☑ Power View2
☑ Hoja2
☑ Hoja3

Aceptar | Cancelar

En Excel 2013 es posible publicar un libro en una biblioteca de SharePoint, por ejemplo, para que otros usuarios puedan editarlo en un explorador web sin tener el programa instalado en su equipo.

dinámicas y rangos, en este ejemplo.) Active la opción **Todos los gráficos**.

4. Active también la opción **Tabla dinámica1**, pulse en la parte inferior de la **Barra de desplazamiento vertical** y active la opción **Todos los rangos con nombre**.

5. Sitúese ahora en la ficha **Parámetros** pulsando en su correspondiente pestaña.

6. Como ve, en esta ficha podemos agregar parámetros para indicar qué celdas del libro se podrán modificar en el explorador. Debe tener en cuenta que para poder establecer parámetros, se deberá asignar previamente nombre a celdas individuales que contengan valores en las diferentes hojas de cálculo. Esas celdas serán las que se puedan usar como parámetros. Si ha añadido parámetros, podrá eliminarlos uno por uno o todos a la vez usando los botones **Eliminar** y **Eliminar todo**. Pulse el botón **Aceptar** del cuadro **Opciones de vista de explorador**.

7. En nuestro ejemplo, un cuadro de diálogo nos advierte de que hemos seleccionado varios elementos con el mismo nombre, de los cuales sólo estará disponible uno en el explorador. Confirme que desea continuar pulsando el botón **Sí** de este cuadro.

8. De este modo hemos configurado nuestro libro para su publicación en la Web. En cualquier momento puede acceder de nuevo al cuadro de opciones para modificarlas. Acabe el ejercicio cerrando el libro de Excel.

3

Elementos en el libro ⌄
- ☑ Todos los gráficos
  - ☑ Gráfico 1
  - ☑ Gráfico 1
  - ☑ Gráfico 2
- ☐ Todas las tablas dinámicas
  - ☐ Tabla dinámica1
  - ☐ Tabla dinámica2

4

Elementos en el libro ⌄
- ☑ Tabla dinámica1
- ☐ Tabla dinámica2
- ☐ Tabla dinámica1
- ☑ Todos los rangos con nombre
  - ☑ Power View2!Área_de_impresión
  - ☑ eliminados
  - ☑ ganadores
  - ☑ uno

Indique en el cuadro de opciones los elementos del libro publicado en la Web que otros usuarios podrán ver y modificar.

5

Mostrar	Parámetros

Agregar parámetros para especificar qué celdas se pueden modificar cuando el libro se ve en el explorador.

Sumar...	Eliminar	Eliminar todo

Nombre ▲	Comentarios	Valor	Se refiere a

6

Microsoft Excel ✕

⚠ Seleccionó uno o varios elementos con el mismo nombre. Con Excel en el explorador, solamente estará disponible uno de estos elementos. ¿Desea continuar?

Sí	No

Para continuar aprendiendo...

SI ESTE LIBRO HA COLMADO SUS EXPECTATIVAS

Este libro forma parte de una colección en la que se cubren los programas informáticos de más uso y difusión en todos los sectores profesionales.

Todos los libros de la colección tienen el mismo planteamiento que éste que acabas de terminar. Así que, si con éste hemos conseguido que aprenda a utilizar Excel 2013 o ha aprendido algunas nuevas técnicas que le han ayudado a profundizar su conocimiento de este programa, no se detenga aquí, en la página siguiente encontrará otros libros de la colección que pueden ser de su interés.

PÍDALOS EN SU LIBRERÍA HABITUAL...Y, SI NO LOS ENCUENTRA, SOLICÍTELOS A

MARCOMBO, Gran Via de les Corts Catalanes, 594, 08007 Barcelona - Tel. 933 180 079

COLECCIÓN APRENDER...CON 100 EJERCICIOS

DISEÑO Y CREATIVIDAD ASISTIDOS

Hoy en día, gran parte del trabajo de los diseñadores gráficos se lleva a cabo con la inestimable ayuda de las herramientas digitales, en constante evolución. A ellas están dedicados los títulos de esta categoría.

- **3ds Max 2012** (TAMBIÉN EN CATALÁN)
- **AutoCAD 2012**
- **AutoCAD 2010** (TAMBIÉN EN CATALÁN)
- **Flash CS6**
- **Illustrator CS6**
- **InDesign CS6**
- **Photoshop CS6**
- **Retoque fotográfico con Photoshop CS6**

INTERNET

Gracias a Internet, millones de personas de todo el mundo tienen acceso fácil e inmediato a una cantidad enorme y diversa de información en línea. Consulte estos manuales para conocer sus múltiples utilidades.

- **Dreamweaver CS6**
- **Internet Explorer 8**
- **Windows Live**

OFIMÁTICA

El término Ofimática se refiere al equipamiento utilizado para crear, guardar, manipular y compartir digitalmente información, tanto a nivel profesional como a nivel particular. En esta categoría agrupamos los títulos:

- **Office 2013**
- **PowerPoint 2013**
- **Word 2013**
- **Word 2010** (TAMBIÉN EN CATALÁN)

SISTEMAS OPERATIVOS

Los sistemas operativos se encargan de gestionar y coordinar las actividades realizadas por un ordenador. Estos manuales describen las principales funciones de Windows 7.

- **Las novedades de Windows 7**
- **Windows 7 Multimedia y Nuevas tecnologías**
- **Windows 8**

PROCESO DE TEXTOS

Si su interés se encuentra en los programas de ofimática y más concretamente en la creación y la edición de textos, entonces el libro que está buscando es "Aprender Word 2010 con 100 ejercicios prácticos".

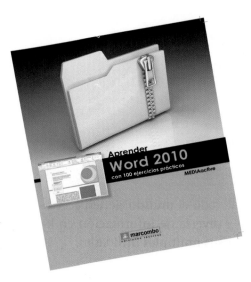

Word 2010, el procesador de textos por excelencia de Microsoft, es una óptima herramienta de creación y edición de documentos de textos. Gracias a sus increíbles y potentes funciones, Usted podrá crear documentos de texto de todo tipo, tanto en el ámbito personal como|cómo profesional, incluyendo imágenes, gráficos y otros elementos.

Con este libro:

- Busque y navegue con en el nuevo Panel de navegación
- Añada efectos visuales propios de imágenes a los textos
- Edite las imágenes insertadas en los documentos con las nuevas herramientas de edición
- Simplifique el acceso a las características de gestión de archivos desde la nueva vista Microsoft Office Backstage
- Inserte capturas de pantalla

DISEÑO ASISTIDO POR ORDENADOR

Si lo que le interesa es el diseño de interiores o la arquitectura asistidos por ordenador, entonces su libro ideal es "Aprender Auto-CAD 2012 con 100 ejercicios prácticos".

AutoCAD 2012 es, actualmente, una de las aplicaciones más respetadas y utilizadas por profesionales del diseño, la ingeniería y la arquitectura. Con este manual aprenderá a manejarla de forma cómoda. En esta versión de AutoCAD, se presentan interesantes novedades, tanto en su aspecto como en sus herramientas y funcionas, que incrementan las posibilidades de creación y diseño técnico.

Con este libro:

- Reduzca el tiempo de revisión de sus diseños
- Cree y edite mallas tridimensionales
- Utilice el nuevo mando Plano de sección
- Consiga impresiones en tres dimensiones gracias a la nueva función de impresión 3D.